D0719198

AFGESCHREVEN

Omslag &
Binnenwerk: Buronazessen - concept & vormgeving
Foto omslag: Marcel de Kroon
Drukwerk: Hooiberg Haasbeek, Meppel

www. hettyluiten.nl

ISBN 978-90-8660-131-8

Postbus 30227
6803 AE Arnhem
www.ellessy.nl

Hetty Luiten

Nieuw geluk

familieroman

HOOFDSTUK 1

Het was muisstil in de klas. Iedereen zat over de topografietoets gebogen. Meneer Koopman had er deze ochtend duidelijk de wind onder. De toets was belangrijk, had hij uitgelegd. De meeste kinderen hadden niet zo'n goed cijfer voor aardrijkskunde en dat was wel nodig. Ze zaten immers in groep 8 en zouden het volgend jaar naar het vervolgonderwijs gaan.

Ook Luka zat geconcentreerd over de toets gebogen. Wat was ook alweer de hoofdstad van Tsjetsjenië? Hij had het laatst nog op televisie gehoord en trouwens, hij had het ook geleerd thuis. Zijn moeder had hem overhoord en hij had thuis een dikke tien gehaald, zei ze. Waarom wist hij het dan nu niet meer?

Zijn voeten schuifelden onrustig over de vloer van het klaslokaal. Hij wilde zo graag een goed cijfer halen. Al was het alleen maar om de trotse blik in zijn moeders ogen te zien. Ze was altijd zo blij als hij met een goed cijfer thuiskwam en hij vond het fijn om haar blij te maken.

Jammer alleen, dat zij hem haast nooit blij kon maken. Er verscheen een verdrietige blik in zijn ogen, maar hij schudde zijn hoofd. Niet aan denken nu. Eerst de toets! Wie weet kreeg hij wel iets leuks van haar als hij met een goed rapport thuiskwam. Ze had daar wel vaag op gezinspeeld. Hij hoopte zo op een nieuwe ...

De hele klas schrok op, omdat er een mobiele telefoon begon te rinkelen. Een helder deuntje speelde door de klas en verbrak de stilte.

Meneer Koopman vloog overeind en keek woedend naar de

kinderen. 'Wat had ik gezegd? Mobiele telefoons gaan uit! Ik wil niet gestoord worden tijdens de les en jullie ook niet. Van wie is dat ding?'
Alsof het afgesproken werk was, keken alle kinderen naar Luka. Hij keek verward om zich heen, wilde zijn mond openen om iets te zeggen, maar er kwam geen geluid over zijn lippen. Het muziekje was vlak achter hem vandaan gekomen en daar zat Julian, de populairste jongen van hun klas. Toch keken ze allemaal naar hem, Luka.
Met drie grote passen stond meneer Koopman voor hem. Het rinkelen was opgehouden.
'Nou?'
Luka schrok zo van de boze meester dat hij een rood hoofd kreeg en begon te stamelen.
'Geef hier dat ding,' zei de meester. Hij stak zijn hand uit.
'Hij is niet van mij,' zei Luka zacht. 'Ik heb geen ...'
'Komt er nog wat van?' De ogen van meneer Koopman schoten vuur.
Luka werd bang. Hij hield niet van boze mensen. Daar kon hij absoluut niet tegen. Hij keek op en haalde diep adem. 'Ik heb geen mobiele telefoon,' zei hij duidelijk.
De hele klas begon te lachen en Luka's hoofd werd nog roder. Hij was het wel gewend dat ze hem pestten, maar hij wist nog steeds niet hoe hij daarmee om moest gaan, want het deed zo zeer vanbinnen!
'Je krijgt nog drie seconden,' ging de meester door. Hij bleef zijn hand ophouden, maar Luka reageerde niet meer. Als de meester hem niet wilde geloven, wat moest hij dan?
'Oké. Je krijgt een nul voor je toets en je blijft na.' Meneer Koopman draaide zich om en liep terug naar zijn tafel.

Luka's ogen schoten vol. Een nul? Waaraan had hij dat verdiend? Opeens schoot hem de hoofdstad van Tsjetsjenië te binnen en hij vulde "Grozny" in, maar tegelijkertijd zag hij een druppel op het papier vallen.
'Hij huilt,' siste Cindy naast hem.
Opnieuw ging er gegrinnik door de klas.
'Stilte!' riep de meester. 'Is er dan niemand van jullie groot genoeg om naar het vervolgonderwijs te gaan? Straks moeten jullie allemaal deze klas overdoen!'
Luka wist best dat dat een loos dreigement was, want iedereen moest van school af. Daar hadden ze immers de leeftijd voor. Hij was elf en sommigen waren al twaalf. Maar een nul voor deze toets, en dat terwijl hij zo goed geleerd had! En de meester die hem niet geloofde. Dat wilde hij niet!
Geconcentreerd en met een diep frons tussen zijn wenkbrauwen schreef hij de andere hoofdsteden op die gevraagd werden. Hij zou in elk geval laten zien dat hij de antwoorden wist en flink zijn best had gedaan!
Het hielp hem echter niets. Toen de bel ging en meneer Koopman alle papieren op kwam halen, zette hij meteen een rode nul op Luka's papier. De anderen verlieten lachend en luidruchtig de klas.
'Natuurlijk heeft hij geen mobieltje,' hoorde hij Julian zeggen. 'Iemand met zulke zielige kleren kan geen mobieltje hebben.'
Hij was natuurlijk wel uitgekiend genoeg om het niet te hardop te zeggen en de meester hoorde het dan ook niet. Maar Luka wel.
Hij pakte zijn rugtas, maar bleef zitten. Hij was niet van plan om de meester nog bozer te maken en hij moest immers na-

blijven.
Meneer Koopman liep de klas uit en voor het raam aan de gangkant zag hij de ogen van zijn klasgenootjes. Ze keken hem spottend aan en hij voelde de blikken in zijn hele lijf steken. Wat een rotkinderen, dacht hij, maar hij draaide zijn hoofd weg en keek naar buiten, waar de zon scheen, al was het winter en koud.
Het duurde zeker tien minuten voor meneer Koopman terugkwam. 'Zo, je bent er nog? Dat valt me niet tegen.' Hij liep op Luka af. 'En dan nu graag dat mobiele geval. Je weet drommels goed dat ik geen gerinkel in de klas wil hebben.'
Luka draaide zijn hoofd naar de leraar en keek hem aan. 'Ik heb geen mobiele telefoon,' zei hij opnieuw.
Meneer Koopman zuchtte. 'Je bent een vervelend joch. Als je nou gewoon toegeeft en mij dat ding geeft, dan ben je van me af. Je krijgt hem over een week terug.' Hij stak zijn hand nogmaals uit en opeens werd het Luka te veel. 'Ik heb geen mobieltje,' gilde hij.
'Rustig maar. Je hoeft niet te schreeuwen!'
'O nee?' Luka zag vlekken voor zijn ogen van kwaadheid. Hoe vaak was hij al niet gepest en nu geloofde zelfs meneer Koopman hem niet. 'Ik heb mijn proefwerk hartstikke goed geleerd en nu krijg ik een nul van u, terwijl ik niet eens een mobieltje heb. Dat is niet eerlijk. Dat is gemeen!' Hij keek de leraar woest aan, maar sloeg snel zijn ogen neer. Het was echt zijn gewoonte niet om zo tegen hem te praten, maar het deed allemaal zo'n pijn.
'Weet je wat niet eerlijk is,' zei meneer Koopman tergend rustig. 'Dat jij liegt, en daarom krijg jij een nul.'
'Ik lieg niet!' Opnieuw gilde Luka.

‘Van wie was die telefoon dan? Ik hoorde hem toch duidelijk vanuit jouw tas rinkelen.’
Luka wilde zijn mond opendoen om de naam van Julian uit te spreken, maar hij drukte zijn lippen snel stevig op elkaar. Nee, dat niet. Als hij Julian verried, was hij nog verder van huis. Dan zou het pesten nooit meer ophouden. Hij haalde zijn schouders op. ‘Ik weet niet wie er allemaal een mobieltje hebben,’ zei hij,’ maar ik niet.’
Meneer Koopman draaide zich om en liep naar zijn tafel. ‘Je kunt naar huis gaan en ik zal je toets nakijken. Zolang ik je gsm niet gekregen heb, krijg jij een nul. Zodra je het ding inlevert, krijg je het cijfer dat je verdiend hebt.’
Met gebogen hoofd liep Luka de klas uit. Op het schoolplein hoorde hij de anderen lachen, maar hij keek niet op. Vanuit zijn ooghoek zag hij een paar jongens op hem afkomen, maar hij liep stug door.
‘Mag ik je mobieletelefoonnummer?’ vroeg Julian, ‘dan kan ik je eens bellen.’
Iedereen schoot in de lach.
‘Toe, geef op nou, dan kan ik je een sms’je sturen,’ zei Cindy.
Ze lachten nog harder. Cindy was Julians vriendinnetje en daarmee het populairste meisje van de klas. Al had Luka tien mobiele telefoons gehad, dan nog zou ze hem geen sms’je sturen. Want Luka droeg geen merkkleren. Luka had een moeder die niet veel geld had en daar moest hij voor boeten.

**

'En?' riep zijn moeder enthousiast toen hij thuiskwam. 'Hoe ging de toets?'
Luka haalde zijn schouders op. 'Ik wist alles,' mompelde hij.
'Goed, zeg! Geweldig. Dan heb je een tien!'
Mooi niet, dacht Luka, maar hij zei het niet.
'Is er wat?' Marte keek haar zoon onderzoekend aan. 'Je lijkt helemaal niet blij met je tien.'
'Ik wil graag nieuwe schoenen,' flapte hij eruit. Hij keek naar beneden. Hij wilde niet dat zijn moeder het verdriet en de teleurstelling op zijn gezicht zou zien. Verdriet omdat hij gepest werd op school en een nul kreeg voor de toets. Teleurstelling omdat hij wel wist dat hij geen nieuwe schoenen zou krijgen.
'Nieuwe schoenen? Ik dacht dat je een nieuwe broek wilde,' zei Marte verbaasd.
'Allebei,' zei hij terwijl hij zich omdraaide om de keuken uit te lopen. 'Ik ga naar mijn kamer.'
'Wil je geen boterham?'
Luka aarzelde. Hij wilde best een boterham. Hij had wel trek gekregen. Bovendien was het donderdag en dan was hij altijd alleen met zijn moeder tussen de middag en dat was juist zo gezellig. Feiko, zijn kleine broertje van drie, lag in bed. Hij ging op donderdagmorgen altijd naar de peuterspeelzaal en kwam dan zo moe thuis, dat mamma hem altijd meteen in bed stopte. Zijn twee zusjes van negen en zeven bleven op donderdag over. Niet dat dat nodig was. Hij wist zelfs nog goed dat mamma het er helemaal niet mee eens was geweest. 'Ik ben toch thuis,' had ze verontwaardigd gezegd. 'Als ik nou buiten de deur werkte ...' Maar zijn zusjes hadden volgehouden. De helft van hun klas bleef over, dus

zij ook. Ten slotte had mamma het goedgevonden dat ze één dag in de week op school mochten overblijven. En dat had Luka erg leuk gevonden. Alle aandacht was dan voor hem als ze met zijn tweetjes zaten te eten. Het was eigenlijk het leukste moment van de week!

'Kom op, joh, ga aan tafel zitten en vertel me eens wat er is. Waarom vraag je om nieuwe schoenen? Zijn deze niet goed meer?'

Hij keek haar aan. Hij vond haar lief. Ze was vast en zeker de liefste moeder van de hele wereld. Julian, bijvoorbeeld, had lang zo'n lieve moeder niet. Dat vertelde hij zelf. Hij zei altijd lelijke dingen over haar. Maar hij had wel een sleutel van zijn huis en mocht helemaal alleen thuis zijn. Dat was stoer. Luka mocht dat niet en daarom was hij een watje, had Julian gezegd. Zijn moeder werkte in een winkel. Luka's moeder werkte niet. Zij was thuis omdat ze kleine kinderen had. Diep van binnen wist Luka ook wel dat hij liever een lieve moeder had, dan nieuwe schoenen of een mobiele telefoon, maar wat had je aan een lieve moeder als ze je pestten omdat je geen dure kleren had?

Hij haalde zijn schouders op. 'Deze zijn nog best goed, maar ik heb zulke mooie gezien.'

Marte zuchtte. Ze wist wel waar de schoen wrong. Ze hadden het er al vaker over gehad. Ze werd er een beetje moedeloos van dat Luka zich er niet bij neer kon leggen dat ze weinig geld had en nauwelijks rond kon komen. Ze deed zo haar best ervoor te zorgen dat het hem aan niets ontbrak. Hij had altijd schone en hele kleren in zijn kast. Leuke, moderne kleding zelfs. Toch was hij er niet blij mee, omdat het geen merkkleding was.

'Schat, hoe vaak moet ik het je nog zeggen ...' begon ze.
'Je hoeft niets te zeggen,' viel Luka haar in de reden. 'Ik weet wel dat we arm zijn.'
'Arm? Nee, zeg. Arm zijn we echt niet. Nog lang niet! Maar rijk zijn we ook in de verste verte niet en daarom kunnen we geen dure kleren kopen.'
'Maar Julian heeft wel dure kleren en Cindy en ...'
'Julians moeder werkt en zijn vader ook. Dan zijn er twee inkomens en heb je twee keer zo veel geld. Bovendien heeft Julian maar één zusje en jij hebt er twee én ook nog een broertje. Wil je liever nieuwe kleren in plaats van je broertje en zusjes?'
Luka schudde ontkennend zijn hoofd. Hij kon nog wel niet echt spelen met Feiko, maar laatst hadden ze toch samen achter een bal aangerend en dat was best leuk. Goed, zijn zusjes lieten hem nooit meedoen als ze met hun poppen aan het spelen waren, maar dat vond hij niet erg. Hij hield toch niet van poppen. Maar dat hij ze kwijt wilde? Echt niet. Het was al erg genoeg dat pappa... Hij merkte dat er tranen naar boven kwamen, maar dat wilde hij niet. Hij vond het altijd zo erg als mamma huilde. Hij moest zich groot houden waar zij bij was.
'Nou?'
'Nee,' zei hij dus. 'Natuurlijk niet. Maar ik zou wel een broertje en zusjes én een dure broek willen hebben.'
'Dat snap ik. Ik zou ook wel een heleboel willen,' zei Marte, terwijl ze een gesmeerde en belegde boterham op Luka's bordje legde.
'Wat dan?' Hij keek haar nieuwsgierig aan. Hij had er eigenlijk nooit over nagedacht dat zijn moeder ook wensen had.

'Nou, een nieuw koffiezetapparaat misschien en een paar mooie schoenen met hoge hakken en een nieuwe winterjas en nog veel meer, Luka, maar dat kan niet. Op de een of andere manier kost alles de laatste jaren veel meer. Bovendien heb ik ook niet meer zo veel als ...' Ze hield op. Hij kon haar wel verkeerd begrijpen als ze de ware reden vertelde en dat mocht niet. Ze wilde hem beslist niet het idee geven dat ze zijn vader de schuld van alles gaf, want dat was niet zo. Nee, geld was geen goed onderwerp om met hem te bespreken. Ze zuchtte. 'Nou ja, de regering neemt ook steeds nieuwe maatregelen waardoor het steeds moeilijker wordt om rond te komen.' Zo, dat was beter. Als hij nu een schuldige zocht voor de situatie dan was dat de regering en niet zijn vader. 'Ik heb er wel over gedacht om te gaan werken, maar dat is moeilijk met Feiko. Hij is nog zo klein.'
'Zou ik dan ook een sleutel krijgen?' vroeg Luka.
'Van het huis?'
'Ja!'
'Zou je dat graag willen?'
'Julian heeft dat ook. Dat staat heel stoer.'
Marte zweeg. Ze was er zelf juist trots op dat ze altijd thuis was als Luka uit school kwam. Ze vond het heerlijk om een moeder te zijn die er was voor haar kinderen. Ook als ze uit school kwamen. Oké, ze vond het ook heerlijk om thuis te zijn. Ze hield ervan haar huis te stofzuigen en schoon te houden. Strijken was een hobby van haar. Ze zat dus ook niet echt te springen om een baan buitenshuis, maar voor het geld moest het er misschien toch een keer van komen.
'Leefde pappa nog maar ...'
'Luka!' Geschrokken keek ze haar zoon aan. 'Waarom zeg

je dat? Wat heeft dat ermee te maken?'
'Toen hadden we wel geld genoeg, want toen kreeg ik wel dure broeken.'
'Lieve schat, dat is helemaal niet waar! Je had leuke kleren, net als nu, maar geen dure kleren. We hebben het nooit breed gehad, ook niet toen pappa nog leefde. Het verschil is, dat jij toen nog klein was. Je was zeven toen pappa overleed. Je had toen totaal nog geen belangstelling voor kleren en zeker niet voor merkkleren. Dat is pas vorig jaar begonnen. Bovendien hadden pappa en ik toen nog maar drie kleine kinderen. Feiko kwam immers pas nadat pappa al overleden was. Nu heb ik een grote jongen en drie kleine kinderen. Dat is wel een verschil!' Martes blik gleed langs haar grote jongen heen naar buiten ... Het regende die dag. Vier jaar geleden nu. Het was een trieste, grauwe dag. De zon liet zich de hele dag niet zien. Dikke wolken hingen over de stad en over de begraafplaats. Ton, haar man en de vader van Luka, Meike en Carijn, was verongelukt. Aangereden door een dronken automobilist die was doorgereden na de aanrijding, maar die later ook nog tegen een huis was opgebotst, waarbij hij zelf ook overleed. Daar was ze soms erg blij om. Wie weet wat ze hem anders had aangedaan. Als hij wel was blijven leven en Ton niet. Het was een sombere dag dus, de dag dat Ton begraven werd. Luka probeerde zich groot te houden, Meike en Carijn waren nog te klein om te begrijpen wat er precies aan de hand was en dat pappa nooit meer terug zou komen. Ze stonden dicht tegen hun moeder aan. Juist toen de plechtigheid voorbij was en Marte zich bukte om een handje zand te pakken en het op Tons kist te gooien, realiseerde ze zich dat ze helemaal niet ongesteld geworden was. Het was een

belachelijk moment om juist toen daaraan te denken, maar tegelijk begreep ze maar al te goed, waarom het haar op dat moment te binnen schoot. Ze wist ook meteen heel zeker dat ze in verwachting was. Dat haar menstruatie niet uitbleef door alle verdriet en zenuwen, maar omdat ze zwanger was. Ze gooide het handje zand op de kist en fluisterde: 'Je blijft doorleven, schat.' Natuurlijk bleef hij dat. Al was het alleen maar in haar hart en in de harten van hun kinderen, maar nu ook in het nog ongeboren leven in haar buik. Acht maanden later beviel ze van een jongen en ze gaf hem de naam die Ton al twee keer had uitgekozen, maar niet kon gebruiken omdat ze dochters kregen: Feiko.
Luka kauwde traag op zijn boterham. Hij had moeite met doorslikken, want het was net of er een brok in zijn keel zat, die het slikken bemoeilijkte. Mamma had natuurlijk gelijk. Vier kinderen waren duurder dan drie en hij wilde echt Meike, Carijn en Feiko niet kwijt. Hij wilde echter zo graag dat ze ermee ophielden hem te plagen, omdat hij nooit eens een dure broek of schoenen of een mobieltje had. Alleen kon hij dat niet tegen zijn moeder zeggen. Hij zou het niet kunnen hebben als zijn moeder er ook verdriet om zou hebben. Hij wist heel goed dat ze zelf al verdriet genoeg had. Alhoewel ze de laatste tijd wel een stuk vrolijker leek. Ze leek soms zelfs wel echt weer blij vanuit haar hart. Maar toch. Ze was zo lief altijd. Hij kon haar niet van zijn verdriet vertellen.
Hij zuchtte en zei: 'Ik begrijp het allemaal best, maar ik ben de enige in de klas met kleren van *Bootmans* en dat is niet leuk.'
'De enige?' Marte keek hem ongelovig aan.

'Ja,' zei hij pertinent.
'Wat deed Laura's moeder daar dan? Die kwam ik er vorige week nog tegen.'
Luka beet op zijn onderlip. Het klopte dat Laura ook weleens iets droeg van *Bootmans*. 'Bijna de enige dan,' mokte hij.
'En de moeders van Pim en Karsten heb ik er ook weleens gezien.'
'Vast niet!' zei Luka feller dan hij bedoelde. 'Ze hebben altijd merkkleren aan.' 'Op school dan, maar thuis niet.'
'Ik hoef thuis ook geen dure kleren. Eén broek is genoeg, mamma.'
'Eén broek, Luka en dan één paar schoenen en wat dan?'
'Een mobi...' Hij kneep zijn lippen op elkaar. Hou je mond, Luka. Je hebt genoeg gezeurd. Het was zijn moeders schuld niet dat ze niet genoeg geld hadden. Hij pakte zijn beker melk en verborg zijn rode wangen erachter, terwijl hij met grote slokken zijn boterham door zijn keel spoelde.
Marte keek naar hem. Wat was er vandaag toch met hem? Was hij dan niet blij dat hij de toets zo goed gemaakt had? Voelde hij zich zo ellendig omdat hij geen dure kleren had? Was hij dan een jongen die altijd mee wilde doen met de anderen? Of miste hij zijn vader nog zo? 'Wees blij dat jij er niet hetzelfde uitziet als Julian en die anderen,' zei ze. 'Eenheidsworst is dat, Luka. Iedereen dezelfde broek, dezelfde schoenen. Wees blij en trots dat jij er anders uitziet.'
Luka zweeg, want hij kon zijn moeder niet vertellen wat er eigenlijk al maandenlang aan de hand was en dat hij er bijna alles voor overhad om juist deel uit te maken van die eenheidsworst.

HOOFDSTUK 2

Marte keek gehaast op de klok. Ze moest opschieten want het was al bijna negen uur en Huib kon elk moment voor de deur staan. Ze wierp een snelle blik door de kamer, maar die zag er inmiddels weer keurig uit. Al het speelgoed opgeruimd, de kussens op de bank rechtgetrokken. Ze stak de waxinelichtjes op de salontafel aan en keek nog snel in de spiegel. Even schrok ze van zichzelf. Ze zag haar rode wangen en haar ogen die glansden. Zo kende ze zichzelf helemaal niet. Maar sinds ze Huib ontmoet had, betrapte ze zich er wel vaker op dat haar ogen weer straalden. Hoe zou Ton dat vinden? schoot het door haar heen, maar ze schudde wild met haar hoofd, zodat haar krullen alle kanten op sprongen. Nee, Ton leefde niet meer. Ze was al vier jaar alleen. Hij kon het haar niet kwalijk nemen als ze een andere man ontmoette en ze wist dat hij dat ook niet zou doen.
Ze glimlachte in zichzelf, trok haar rok recht en liep naar de keuken om het koffiezetapparaat aan te zetten. Ze dacht aan Huib die ze nu vier weken kende.
Sinds Ton overleden was, kreeg ze een uitkering van de Algemene Nabestaandenwet voor haarzelf en voor haar kinderen. Dat was geen vetpot, maar wel ideaal. Zo kon ze een thuisblijfmoeder blijven, precies zoals ze eerst ook was. Soms moest ze ervoor naar het stadhuis om een papier in te vullen.'Vier weken geleden had ze Huib bij het stadhuis ontmoet, die juist naar buiten wilde op het moment dat zij naar binnen ging. Ze botsten tegen elkaar op en lachend bleven ze zo even staan. Hij hield haar ellebogen vast, zij zijn armen. Het was een grappige ontmoeting, die ze snel weer zou

zijn vergeten als ze niet in zijn ogen had gekeken. Het was net alsof haar hart even stilstond. De blik daarin, de diepte ook. Het raakte haar zo, dat ze hem niet meer wilde laten gaan. Blijkbaar was dat wederzijds, want hij schraapte zijn keel en liet haar verontschuldigend los. 'Ik denk dat ik je op een kop koffie moet trakteren voor deze aanvaring.'
Natuurlijk had ze kunnen zeggen dat dat onzin was, maar dat deed ze niet. Ze keek hem ernstig aan en knikte ja. Vervolgens schoot ze in de lach en zei ze dat ze graag op die uitnodiging inging. Ze had geen idee of hij getrouwd was of niet, maar dat was even onbelangrijk. Ze wilde hem gewoon weerzien en dat was een heel bijzondere gewaarwording. Al bleek dat weerzien lastig, omdat hij overdag werkte en zij 's avonds met haar kinderen zat en ze wilde hem voorlopig beslist niet aan haar kinderen voorstellen. Bovendien wilde ze hem niet meteen de eerste avond al bij haar thuis uitnodigen. Ze wist immers niets van hem.
Maar op maandagavond ging ze altijd naar pilates om oefeningen te doen en dan kwamen haar ouders op de kinderen passen. Zonder iets tegen hen te zeggen had ze met Huib afgesproken in plaats van naar les te gaan en het was een geweldige ontmoeting geweest, die veel te kort geduurd had. Ze hadden zo veel te bepraten en ze hadden over zo veel dingen dezelfde mening. Vaak ook hadden ze maar een half woord nodig om de ander te begrijpen.
Hij was gescheiden. Dus niet getrouwd, dacht Marte opgelucht, want ze was niet van plan om aan een geheime relatie te beginnen. Het zou al moeilijk genoeg worden met haar kinderen. Huib had geen kinderen. Dat bezwaarde haar wel. Zou hij vier kinderen niet een beetje veel vinden? Ze had

het hem maar meteen verteld en hij reageerde heel positief. Het verraste haarzelf dat ze al aan een relatie dacht. Dat had ze de afgelopen jaren nog niet een keer gedaan. Maar het waren zijn ogen, waar ze niet omheen kon. Als ze erin keek leek het alsof ze verdronk. Een diepe poel van warmte, maar ook van verdriet. Een warm mens, maar ook een doorleefd mens. Hij gaf haar het gevoel dat ze alles aan hem kwijt kon en dat hij het zou begrijpen ook.

Hij werkte op het stadhuis, op de afdeling Volkshuisvesting en Ruimtelijke Ordening en hij woonde niet eens zo ver bij haar vandaan.
Het was trouwens net oud en nieuw geweest en ze had meteen glimlachend gedacht dat haar jaar niet beter had kunnen beginnen.
Ze hoorde een klopje op het raam en haastte zich naar de voordeur. 'Huib, je bent er! Kon je het gemakkelijk vinden?'
Het was de eerste keer dat hij bij haar thuiskwam en daarom was ze wat zenuwachtiger dan tijdens de vorige ontmoetingen, die plaats hadden gevonden in een restaurant of café. Maar ze wilde niet elke keer haar ouders voor de gek houden en doen alsof ze naar pilates was terwijl ze ondertussen ergens met Huib ging koffiedrinken. Wel had ze hem met opzet gevraagd pas tegen negen uur te komen, omdat ze beslist wilde dat de kinderen zouden slapen als hij kwam.
'Kom binnen.'
Hij lachte en drukte een kus op haar wang. 'Ik ken door mijn werk alle wijken en straten in de stad, dus dat was niet moeilijk. Slapen je kinderen?'
'Ja.' Ze wierp een blik langs de trap naar boven, maar nam

hem vervolgens mee de huiskamer in, waar hij haar een fles wijn toestak. 'Ik heb maar geen bloemen meegenomen, anders moet je morgen aan je kinderen vertellen van wie die zijn. Een fles kun je gemakkelijk in de kast verstoppen, dacht ik.'
Ze lachte. 'Dank je wel.' Ze wees naar de zithoek. 'Zal ik koffie inschenken?'
'Lekker.' Hij liep naar de bank, waar hij ook op was gaan zitten, zag Marte toen ze met koffie en zelfgebakken cake terugkwam. Ze keek naar hem en vond het opeens zo gezellig dat hij daar zat. Zijn rode haren staken af tegen de witte muur achter hem. Ze aarzelde en wist niet goed waar zij moest gaan zitten, maar ze besloot toch maar in de grote stoel tegenover de bank plaats te nemen. Naast hem was meteen zo intiem.
'Je hebt het gezellig ingericht,' zei hij waarderend. 'Zoiets kunnen volgens mij alleen vrouwen maar. Overal staan prulletjes en bloemen en die kaarsjes vind ik ook zo leuk. Dat zou ik zelf ook kunnen doen, maar het komt niet in me op. Heb je die cake zelf gebakken?'
'Ja,' zei Marte glunderend. 'Dat doe ik graag. Cakes en taarten voor verjaardagen.'
'Bof ik even,' zei Huib lachend. 'Ik ben over twee weken jarig.'
'Echt waar?'
'Ja, hoor, echt waar.'
'Goed, bak ik een taart voor jou. Met hoeveel kaarsjes precies?'
Huib schoot in de lach. 'Doe maar zeven, want 37 past vast niet.'

‘Afgesproken. Je zegt maar waar en hoe laat hij bezorgd moet worden.’
‘Bezorgd? Je komt toch zeker zelf wel mee?’
Marte bloosde. ‘Ik eh ...’
‘Oké,’ zei Huib met een warme blik in zijn ogen. ‘Daar hebben we het nog wel over. Hoe is het met je vandaag?’
‘Ik maak me zorgen om Luka,’ flapte ze eruit, al had ze dat niet willen zeggen. Wat zou hij wel niet denken als ze al haar problemen bij hem op tafel legde.
Maar Huib reageerde direct heel belangstellend. ‘Hoezo? Is hij ziek?’
‘Nee, dat niet, maar ik vind wel dat hij de laatste tijd minder vaak buiten speelt en ook dat hij stiller is geworden.’
‘Speelt hij nog wel met de andere kinderen in huis?’
‘Dat wel. Hij is vooral gek op Feiko. De kleinste,’ zei ze er snel ter verduidelijking achteraan, want het moest voor Huib wel moeilijk zijn de vier kinderen uit elkaar te houden.
‘Drie jaar,’ zei hij lachend. ‘Ik heb wel geluisterd, hoor.’
‘Sorry,’ zei ze zacht. ‘Ik dacht ... Omdat je zelf geen kinderen hebt, gaat zoiets misschien het ene oor in en het andere uit en bovendien zijn het er wel veel.’
Even betrok zijn gezicht en keek hij haar ernstig aan, toen glimlachte hij weer. ‘Marte, als het zo zou zijn dat het het ene oor in en het andere uit ging, wat doe ik hier dan? Ik hou ervan als iemand naar mij luistert en daarom luister ik ook naar een ander.’
Marte haalde haar schouders op. ‘Zo zou het wel het mooiste zijn, ja, maar nogmaals, het zijn er vier en dat vinden de meeste mensen erg veel. En om nog eerlijker te zijn, ik haal ze zelf ook door elkaar. Dan roep ik Meike als ik Carijn be-

doel of andersom.'
'Daar is mijn moeder ook goed in,' zei Huib lachend. 'Ze heeft maar twee kinderen, twee jongens en altijd gebruikt ze de verkeerde naam. Zeg, Marte, waarom kom je niet bij me op de bank zitten. Dat is toch veel knusser.'
Ze bloosde, maar stond toch op, omdat ze dat eigenlijk zelf ook heel graag wilde. Het liefst tegen hem aan, om hem te kunnen voelen. Ze ging naast hem zitten en hij sloeg een arm om haar heen, trok haar even dicht tegen zich aan en drukte een vederlichte kus op haar mond. 'Ik vind je echt ontzettend leuk,' zei hij zacht. 'Ik ben zo blij dat ik je ben tegengekomen. Met jou kan ik tenminste praten. Dat kan lang niet met iedereen.' Hij duwde haar iets van zich af en keek haar aan. Hun ogen ontmoetten elkaar en Marte voelde hoe haar lichaam begon te gloeien. Ze las liefde in zijn ogen, maar tegelijk was er weer dat grootse, dat ernstige, dat diepe. Alsof hij iets vreselijks had meegemaakt en dat nog steeds met zich meedroeg. Net zoals ik Ton verloren ben, dacht ze. Ja, nu begreep ze waarom ze voor hem gevallen was. Ze las in zijn ogen hetzelfde verdriet als dat zij voelde. Moest ze hem ernaar vragen?
'En wat zegt Luka als je hem ernaar vraagt?' Huib wist inmiddels dat Marte een goede band met haar kinderen had. Helemaal met Luka, die de oudste was en het meest had meegekregen van het overlijden en het verdriet. Als Marte dacht dat er wat met Luka was, zou ze dat zeker aan hem vragen.
Ze glimlachte en ging iets scheef zitten, zodat ze hem beter aan kon kijken. Hun knieën raakten elkaar en er gleed een siddering door haar lichaam. 'Ik kom er niet achter. Hij

vraagt wel steeds vaker om dure kleding. Vandaag zelfs om schoenen.'
Ze schrok van zichzelf. Waar was ze mee bezig? Ze kon hem toch niet met al haar problemen lastig vallen. 'Sorry,' zei ze. 'Dat zijn mijn eigen zaken. Zal ik nog een keer koffie inschenken?' Ze stond al op voor hij antwoord kon geven en nam de kopjes mee naar de keuken.
Huib stond ook op en volgde haar, keek nieuwsgierig om zich heen en knikte waarderend. 'Je hebt alles zo keurig voor elkaar en het is hier zo schoon.'
Marte lachte. 'Ik heb geen baan buiten de deur, weet je nog.'
'Waarom eigenlijk niet?' Hij pakte zijn kopje van het aanrecht en liep terug naar de kamer.
Marte ging weer naast hem zitten. 'Toen Luka geboren werd, werkte ik op kantoor, maar daar ben ik mee gestopt. Ton en ik waren het erover eens dat het voor een kind prettiger is als de moeder in elk geval de eerste jaren altijd thuis is en zelf wilde ik dat ook heel erg graag. Ik wilde hem niet naar een crèche brengen en alles van hem missen. Ik weet dat er ook mensen zijn die vinden dat een kind er socialer en zelfstandiger van wordt als hij al vroeg naar een kinderdagverblijf gaat, maar ik wilde graag thuis zijn en Ton was het daarmee eens. Dat betekende natuurlijk wel dat we het niet breed hadden, want tegenwoordig doe je met één loon niet zo veel meer, maar dat hadden we er graag voor over. Tja, en toen overleed hij en viel zijn inkomen weg. Dat was afschuwelijk, vooral omdat Ton door allerlei omstandigheden geen pensioen had opgebouwd en ik geen weduwepensioen kreeg. Veel spaargeld hadden we ook niet. Gelukkig is er de Nabestaandenwet en krijg ik daarvan een uitkering en kan

ik dus toch gewoon thuisblijven.'
Huib knikte.
'Dat was vooral zo fijn omdat ik opeens van de vierde in verwachting bleek te zijn. Ik krijg een uitkering tot ze achttien zijn of tot ik weer ga trouwen of samenwonen.'
'Prima toch?'
Marte haalde haar schouders op. 'Ik weet het niet. Ik kan me er soms echt boos over maken. Ik bedoel. Ton en ik hadden het goed. We accepteerden het zoals we het hadden. Niet rijk, maar wel gelukkig. En plotseling valt alles weg en ben ik van de staat afhankelijk. Mijn man weg en mijn hele veilige bestaan weg en ik moet mijn hand ophouden. Maar ik zou niet weten hoe ik nu buitenshuis moet gaan werken.' Ze pakte haar kopje en nam een slok, voelde ondertussen dat Huib zijn hand op haar hand legde, die ze in haar schoot had liggen.
'Je hebt het best zwaar gehad, de afgelopen jaren,' zei hij zacht.
'Ja, maar het gaat prima. We redden ons uitstekend en wat belangrijker is: we zijn gezond.'
'Maar Luka wil andere kleren en schoenen.'
Marte knikte. 'En daar hebben we het geld dus niet voor.'
'En dat vertel je hem dan ook?'
'Dat moet wel, maar toch wil hij andere kleren.'
'Maar dat kan de reden toch niet zijn waarom hij zo stil is en minder buiten speelt?' bedacht Huib. 'Hij zal wel begonnen zijn met puberen.'
'Nee, het is iets anders.'
'Waarom? Omdat hij mee wil doen met de rest? Dat hebben veel kinderen van zijn leeftijd, en er zullen zeker meer

kinderen bij hem in de klas zijn die niet mee kunnen doen. Helaas is het tegenwoordig zo, dat iedereen minder te besteden heeft.'
'Ik weet het.' Marte glimlachte. Zelf had ze er geen problemen mee. Ze kon prima met geld omgaan en ook met weinig geld. Van een lapje van de markt maakte ze een prachtige blouse en ook het eten kon gevarieerd, maar toch niet duur zijn. Ze had stapels leuke recepten voor eenvoudige kost en ze hield ervan steeds wat anders uit te proberen. Natuurlijk wilde ze wel graag een nieuw koffiezetapparaat en ze hield haar hart vast als de wasmachine het weer zou begeven. Dan viel die misschien niet meer te repareren en waar moesten ze een nieuwe van kopen? Maar voorlopig redde ze zich nog. Alleen Luka was het er dus niet mee eens.
Ze haalde haar schouders op. 'Hij heeft liever een broertje dan een dure broek, zei hij vanmiddag nog. Dus hij lijkt het wel te accepteren dat hij geen merkkleding heeft, maar toch vraag ik me af wat er écht aan de hand is. Hij is me te stil, Huib.'
'Dan moet je het hem nog maar eens vragen.'
Ze keek hem onderzoekend aan. 'Waar haal jij trouwens al die wijsheid over kinderen vandaan? Dat hij zou puberen en dat hij mee wil doen met de rest. Het lijkt bijna of je ervaring hebt,' zei ze lachend.
'Heb ik ook,' zei hij, maar in zijn ogen blonk geen lach.
Ze schrok van zijn gezicht, stak haar hand uit naar de zijne en zweeg.
'Ik wilde je het niet meteen de eerste keren al vertellen. Ik kan er namelijk nog steeds niet goed over praten en ik kende je amper, maar nu wil ik het je wel vertellen.'

Ze keek hem afwachtend aan.
'Ik vertelde je dat ik twee jaar geleden gescheiden ben. Je vroeg gelukkig niet naar de reden. Maar die zal ik je nu vertellen. We hadden een zoontje, Emiel.'
Marte zette grote ogen op. Dus hij had toch een kind. Hoewel ... 'Hadden?'
Hij knikte. 'Ja, hij is overleden.'
'Och, Huib, wat vreselijk!' Nu legde ze haar hand op de zijne en hield hem stevig vast. 'Wat ontzettend erg. Was hij ziek?'
'Ja, hij was al een paar dagen wat grieperig, maar we zouden naar mijn schoonouders aan de andere kant van het land. Een reis van ruim twee uur. Emiel wilde ondanks alles dat we zouden gaan, want hij was gek op die grootouders. Mijn vrouw was erop tegen, maar ik dacht dat het geen kwaad kon. We namen water, paracetamol en een deken voor hem mee. Hij kon lekker op de achterbank gaan liggen. Hij was elf, net als jouw Luka.' Hij zuchtte en zweeg even.
Marte zei niets, keek hem alleen maar vol medeleven aan.
'Hij werd steeds zieker bij opa en oma en we gingen vroeger naar huis dan we gepland hadden. Zijn ademhaling begon te piepen en toen we weer thuis waren, heeft mijn vrouw meteen een huisarts gebeld. We konden er direct terecht en van hem werden we linea recta doorgestuurd naar de longarts, die ons vertelde dat Emiel longontsteking had. Hij keek ons daarbij zo meewarig aan, dat ik dacht dat mijn hart stilstond. Emiel kreeg meteen een cocktail van antibiotica, omdat ze niet wisten welk antibioticum zou aanslaan, maar niets sloeg aan en ze probeerden het met andere medicijnen en plotseling was hij er niet meer. Het ging zo snel. Ik kan het nog niet bevatten. Hij had die dag nog gevoetbald met opa, al

was het niet lang, en toen was hij dood.'
'Huib,' zei Marte zacht. Ze wist hoe verdrietig hij moest zijn. Zelf had ze Ton ook zonder waarschuwing vooraf verloren. Die was 's morgens vrolijk naar zijn werk gegaan en kwam 's avonds niet meer terug. Dat onverwachte was misschien wel het moeilijkst. Iemand verliezen was al te erg voor woorden, maar zomaar, zonder dat je het van tevoren ook maar enigszins kon weten ... Het was net alsof dat een dubbele klap was. 'En dan zit ik te zeuren over Luka die een nieuwe broek wil.'
'Maar dat moet ook! Ik wil dat je over je kinderen praat. Ze zijn er tenminste nog. Ze léven. En bovendien ben ik gek op kinderen. Ik had er zelf wel vier willen hebben.' Hij glimlachte naar haar. 'Maar Mariska kon na Emiel geen kinderen meer krijgen. Haar baarmoeder moest verwijderd worden. Emiel was dus ons enige kind en ons alles. En ik had hem vermoord, zei ze.'
'Hoezo?'
'Omdat ik naar haar ouders toe wilde met een zieke zoon. Zij had immers niet gewild.'
'Huib! Wat een vreselijke situatie.'
'Ja, en die was niet meer te repareren. We konden er samen niet over praten. Ze bleef me beschuldigen, terwijl ik zelf ook kapot was van verdriet en het mezelf natuurlijk kwalijk nam dat we die lange reis waren gaan maken.'
'Maar dat kon je toch niet weten?'
'Nee, dat weet ik wel, maar goed, tussen Mariska en mij wilde het niet meer. Maar het is wel zo dat zij mij de deur gewezen heeft. Ik wilde haar niet in de steek laten in die moeilijke tijd, maar zij heeft de scheiding doorgezet en gewild.'

'Jij niet?'
'Ik hield van haar en dacht dat het wel weer goed kwam als ze er een beetje aan gewend was dat Emiel er niet meer was, maar ze veranderde in een vrouw die ik niet kende en nooit in haar gezien had. Ze werd zo lelijk tegen me, zo gemeen. Ook na onze scheiding kon ze me opbellen en de huid vol schelden. Ik neem het haar niet kwalijk. Iedereen verwerkt zijn verdriet op zijn eigen manier en zij had er misschien baat bij om mij als schuldige aan te wijzen. Maar het heeft wel gemaakt dat ik niet meer van haar houd. Dat is echt over en voorbij.' Hij sloeg een arm om Marte heen en drukte haar tegen zich aan. 'Ik heb je vast aan het schrikken gemaakt met al die ellende. Denk je een leuke man ontmoet te hebben, zit dit erachter.'
Ze schudde haar hoofd. 'Ik wist dat je iets ergs had meegemaakt. Ik las het in je ogen. Ik wist natuurlijk niet wat, maar dat het niet mooi zou zijn, daar was ik op voorbereid.'
'Zag je dat in mijn ogen?'
Ze duwde zijn hand weg en stond op. 'Je had een fles wijn meegenomen, maar die hoeft toch niet in de kast verstopt te worden?'
'Nee, natuurlijk niet, als je zin hebt in een glaasje.'
'Ik wel en jij? Of heb je liever bier?'
'Heb je dat in huis dan?'
Marte knikte. Mijn vader houdt wel van een biertje en als mijn ouders oppassen als ik naar les ben, dan neemt hij er vaak een. Dus je kunt ook bier krijgen.'
'Ik heb echt liever wijn. Ik ben een echte wijndrinker.'
'Gezellig,' zei ze lachend terwijl ze naar de kast liep om twee glazen en de kurkentrekker op te halen.

HOOFDSTUK 3

De avond met Huib was niet zo verlopen als Marte verwacht had. Tot nu toe waren hun gesprekken altijd vrolijk geweest en was ze lachend thuisgekomen. Deze keer was het anders uitgevallen, maar daar was ze juist erg blij om. Ze vond het geweldig dat Huib haar zijn grote verdriet toevertrouwd had en er zo open over was geweest. En diep van binnen, al zou ze dat nooit openlijk toegeven, vond ze het zelfs prettig dat hij ook zo'n groot verdriet had meegemaakt. Hij zou haar tenminste begrijpen als ze nog kon huilen om het overlijden van Ton. Ze was er inmiddels wel aan gewend om alleen te leven, althans zonder man, want alleen was ze nooit met vier kinderen. Als ze echter terugdacht aan hoe het allemaal gebeurd was, dan kon ze opnieuw in tranen uitbarsten. Het was zoals Huib gezegd had, veel te onverwachts, zonder waarschuwing vooraf, en die klap was haast te groot geweest om te dragen, laat staan te verwerken. Maar iedereen in haar omgeving zei dat ze er nou maar overheen moest zijn. Ze moest verder en niet stil blijven staan bij dat afschuwelijke ongeluk. Zelfs haar ouders wilden liever niet meer over Ton praten. 'Het is nu zo lang geleden,' zei haar moeder dan zuchtend. 'Hou er toch eens over op.'
Dat had ze dan ook gedaan. Met haar ouders praatte ze nooit meer over Ton. Tegen haar vriendinnen ook niet meer, want die dachten er net zo over. Alleen met de kinderen kwam hij nog regelmatig ter sprake en daar was ze erg blij om. Natuurlijk was hun vader dood, maar hij leefde nog door in hun harten en alhoewel Meike en Carijn niet veel meer van hem wisten, omdat ze zo klein geweest waren op dat

moment, konden ze toch zomaar het fotoalbum ophalen en vragen over hem stellen. Het was duidelijk dat ze hem niet wilden vergeten. Het was ook duidelijk dat ze graag een vader wilden hebben. De meeste kinderen in hun klas hadden een vader, maar zij niet. Vooral vaderdag was een moeilijk punt. Dan maakten alle kinderen iets moois voor hem en zij? Zij maakten net zo ijverig een tekening of een handafdruk of wat de juf of meester ook maar bedacht had en brachten het dan op zondag naar de begraafplaats, legden de tekening op het graf van hun vader en waren een moment intens verdrietig. De afgelopen keer had Meike zelfs letterlijk om een nieuwe vader gevraagd. 'Pien heeft ook een nieuwe vader, stiefvader noemt ze hem. Kan ik die niet krijgen?' Pien was haar vriendinnetje, Piens moeder was gescheiden en had een nieuwe man ontmoet.

Marte glimlachte. Zij ook. Zij had ook een nieuwe man ontmoet. Zonder te zoeken, zomaar gevonden! Een man die begreep hoe zwaar het leven kon zijn. Tegen wie ze nog wel over Ton mocht praten. Hij wilde immers zelf ook nog graag over Emiel praten, had hij gezegd. Ook zijn moeder vond dat hij er maar over op moest houden, maar hij vermoedde dat hij het verdriet zijn hele leven met zich mee zou dragen en dat hij elke dag wel over Emiel wilde praten. En daar had Marte dus begrip voor. Juist doordat ze allebei zoiets afschuwelijks hadden meegemaakt, kon het haast niet anders dan dat ze elkaar haarfijn zouden aanvoelen.

Oké, het was beslist een groot verschil of je je man verloor of je kind. Dat laatste was zo onnatuurlijk en veel moeilijker te accepteren. Als ouder verwachtte je immers dat jij als eerste zou gaan, niet dat jij je kind zou overleven. Je had toe-

komstplannen in gedachten voor je kind en die waren in een klap weg. Maar ook Marte had toekomstplannen gehad met Ton: lang en gelukkig samen zijn. Ook haar hele leven was op die ene dag veranderd van een gelukkig bestaan in een groot, zwart gat. Al had ze gemerkt dat het toch waar was: tijd heelt alle wonden. Het verdriet was niet meer zo intens als toen, de pijn werd zachter, het gemis kleiner, maar het verdriet en het gemis waren er nog wel.
Er was nog een verschil met Huibs situatie, bedacht ze. Het leek Marte logisch dat hij over zijn kind wilde praten, eventueel zelfs de rest van zijn leven. Maar als zij zo veel over Ton zou praten, kon Huib weleens denken dat ze Ton liever had dan hem en dat Huib altijd op de tweede plaats zou staan. Dat gevoel mocht ze hem beslist niet geven, wilde hun relatie bestaansrecht hebben. Als ze over Ton praatte, dan moest het niet zijn op een klaaglijke toon, omdat ze hem miste, maar gewoon als haar eerste man en de vader van de kinderen. Ze hoopte dat haar dat lukte, want ze vond Huib veel te leuk en bleef zich erover verbazen dat ze hem tegen het lijf gelopen was.
Ze glimlachte bij de woordspeling, want dat was dus letterlijk gebeurd.
Het verbaasde haar ook dat haar ouders nog steeds niets aan haar gemerkt hadden. Drie keer was ze van pilates thuisgekomen met glanzende ogen en rode wangen. Anders dan al die keren daarvoor. Toch hadden ze niets gevraagd, en haar ook niet onderzoekend aangekeken. Misschien dachten ze wel dat het door de les zelf kwam. Pilates was immers een soort yoga, erop gericht dat haar lichaam en haar geest in evenwicht kwamen, rustiger werden. Ze glimlachte. Alleen

Heleen wist het. Zij was haar beste vriendin. Haar had ze het nog diezelfde week verteld. Niet omdat Heleen ook op pilates zat en zich af zou vragen waar Marte telkens bleef, nee, gewoon omdat ze het iemand móést vertellen. 'Ik snap niet, Heleen, wat hij met me doet, maar ik ben gewoon in de wolken. Het is alsof ik vleugels heb gekregen. Hij is zo ...' Heleen had gelachen, maar het was een warme, meelevende lach. 'Wat heerlijk voor je. Je bent nu alweer zo lang alleen. Ik gun het je van harte! En als ik iets voor je kan doen, zeg je het maar.' Ja, Heleen had er alle begrip voor, maar Marte vroeg zich af of haar ouders dat ook zouden hebben en daarom had ze nog niets gezegd. Ze moesten echter eens weten! Dat ze achter hun rug om een man ontmoette! Maar vanaf nu zou dat niet meer gebeuren. Vanaf nu zou hij bij haar thuis komen. Ze was ook erg benieuwd naar hoe hij woonde. Ze wist nog niet hoe ze daarachter kon komen zonder de kinderen mee te nemen, maar dat was van later zorg. Eerst Huib nog beter leren kennen, eerst zeker weten of ze écht met hem verder wilde. Hoewel ... eigenlijk twijfelde ze daar al niet meer aan!
Ze zette de kopjes die ze net had afgewassen in het keukenkastje. Vanuit de huiskamer, die aan de keuken grensde, kwamen pruttelgeluidjes. Marte glimlachte. Als was Feiko al drie, hij praatte nog niet echt veel. Het leek of hij er de moeite niet voor overhad om woorden te leren en ze duidelijk uit te spreken. Op het consultatiebureau hadden ze gezegd dat dat wel vaker voorkwam bij het zoveelste kind in een gezin. De oudere broers en zusjes begrepen zo'n kind al snel en vaak vlogen ze ook voor hem, omdat ze het vertederend vonden als hij alleen maar halve woorden zei. Lui,

noemden ze dat. Toch was Feiko bepaald niet lui. Hij kon zelfs vreselijk actief zijn en soms had ze haar handen vol aan hem, maar vanmorgen was hij al een hele poos rustig met de grote legoblokken op de vloer aan het spelen.
Ze pakte een sinaasappel van de schaal en perste die voor hem uit. Voor zichzelf schonk ze koffie in. Met de twee bekers liep ze naar de kamer en ging ze aan de tafel zitten.
'Mam, mam, kij!' riep Feiko enthousiast toen hij haar zag. 'Toto.'
'Auto,' verbeterde ze hem haast automatisch. 'Je hebt een prachtige auto gemaakt, jongen. Echt knap.'
Feiko glunderde en kwam op haar af. Hij wist dat ze drinken voor hem had en daar had hij wel zin in. Tegelijkertijd ging de telefoon. 'Oef, even wachten, jongen.' Marte nam de hoorn op en zei haar naam.
'Hoi, lieve vrouw, met Huib.'
Ze voelde dat ze direct kleurde en was blij dat alleen Feiko thuis was.
'Hallo, leuk dat je belt.'
'Ik moest even zeggen dat ik het gisteravond erg fijn vond. Het is echt heerlijk om met jou te praten, zelfs over trieste dingen.'
'Ik ben ook erg blij dat je het verteld hebt en als je wilt, mag je er altijd over praten.'
'Dat vermoeden had ik al en dat maakt het contact met jou extra fijn.'
'Misschien wil je me zelfs wel een keer foto's van Emiel laten zien,' stelde ze toch wat aarzelend voor.
'Wil je dat? O, graag, natuurlijk. Heel graag.'
Ze zuchtte opgelucht. Gelukkig, dat was een goed voorstel

geweest.
'De eerste keer dat we elkaar weer ontmoeten, heb ik ze bij me,' zei hij. 'Maar om eerlijk te zijn bel ik voor wat anders.'
'O?'
'Mam, dikke!' Feiko trok aan haar hand, die in haar schoot lag.
'Ah, je bent niet alleen,' lachte Huib.
'We zouden juist iets gaan drinken en daar wacht hij op.'
'Dus ik stoor.'
'Tja, mij niet,' zei Marte, 'maar Feiko wel.'
'Zal ik over tien minuten terugbellen?'
'Ben je gek. Hij moet maar leren dat niet altijd alles precies volgens plan verloopt. Wat is er? Waarvoor bel je?'
'Nou, ik zat nog wat te denken over het feit dat Luka zo graag een nieuwe broek en schoenen wil. Je zei dat hij haast niet meer buiten speelde en ik dacht: misschien voelt hij zich rot omdat hij niet de zogenaamde goede kleren draagt. Dat betekent dan dat het echt heel erg belangrijk voor hem is.'
'Daar lijkt het wel op, ja, maar hij zal toch moe...'
'Wacht even. Laat me eerst uitpraten, want ik weet misschien een mogelijkheid voor Luka om aan wat geld te komen, zodat hij zelf nieuwe kleren kan kopen.'
'O ja?' Marte ging rechtop zitten. Waar doelde Huib op? Het klonk in elk geval erg interessant.
Feiko begon tegen te sputteren. Marte trok hem met een hand op schoot en hij greep meteen met twee handen zijn bekertje beet. Ze wilde hem nog tegenhouden, maar kon niet voorkomen dat het sinaasappelsap over de rand klotste. Ze zei niets, maar zuchtte inwendig. Gelukkig was het meeste op de tafel terechtgekomen, maar ze zag ook spatjes op zijn

mooie blauwe broekje.
'Ja, ik kan een kleine folderwijk voor hem versieren.'
'Folderwijk?'
'Dat is wat anders dan een krantenwijk. Niet 's morgens vroeg en ook niet elke dag, maar twee keer in de week, op dinsdag- en op vrijdagmiddag. Een uur tot anderhalf uur. Hij kan er tien tot vijftien euro mee verdienen. Het ligt eraan hoeveel folders er zijn. Dat varieert per week.'
'Tien tot vijftien euro? Dat is een vermogen voor hem.'
'Dat dacht ik al. Een paar weken werken en hij heeft een broek – of eh ... zijn die erg duur? Merkbroeken?'
'Die zijn erg duur, ja, maar dat geeft toch niet? Huib, dit klinkt geweldig. Wat zal hij dat fantastisch vinden.'
'Denk je?'
'Dat denk ik wel. Hij is nooit te beroerd om iets te doen en als hij dit voor zichzelf doet, voor nieuwe kleren. Sjonge, wat een leuk idee. Hoe kom je daarop?' Maar opeens betrok haar gezicht en ze onderbrak hem midden in zijn antwoord. 'Huib, het kan niet. Ik krijg immers een uitkering. Volgens mij is Luka nog te jong om te verdienen. Dan komt het natuurlijk op mijn naam en ik moet een deel inleveren van wat ik verdien.'
'Dat had ik al bedacht.' Hij grinnikte zacht. 'Daarom moet het ook tussen ons blijven. Bij mij in de straat worden de folders altijd door een heel gezin rondgebracht. De ene week zie ik de vader, de andere week de moeder, dan weer een van hun kinderen. Ik ken die mensen wel en heb hen vanmorgen gebeld of zij ook iets voor mij wisten. Ik heb jouw naam niet genoemd. Ze zeiden dat ze graag een paar straten wilden afgeven, want ze hadden gewoon te veel. Ze konden

het amper nog aan. Ik geloof dat het hun enige bron van inkomsten is en ze hebben dus alles aangepakt wat ze krijgen konden. Maar als ik, zo zei ze dus, een paar straten van haar over wilde nemen, zou ze dat geweldig vinden.'
'Maar dan nog? Het levert geld op en dat kan in mijn situatie niet.'
'Ik heb haar gezegd dat het niet voor mij was, maar voor een kleine jongen, die zijn werk zeker heel serieus zou nemen. Ik heb ook gezegd dat die jongen wel zwart betaald wilde hebben en toen kwam ze met dit voorstel. Het is zo'n drie minuten fietsen bij jou vandaan, de eerste straat. Dus vlakbij, maar niet in je eigen straat. Zij betalen hem contant, maar het blijven wel hun straten. Ik vermoed dat zij er meer voor krijgen dan ze Luka bieden, dus zo heeft iedereen er voordeel van.'
'Huib, het is te gek voor woorden. Ik kan het gewoon niet geloven. Wat zal hij blij zijn. Zeg maar dat hij het doet!'
'Zonder met hem te overleggen?'
'Ja, als hij toch niet wil, doe ik het zelf wel. Voor mij is tien euro extra per week ook een boel geld.' In gedachten zag ze haar koffiezetapparaat dat zo oud was en de wasmachine, die misschien kapot zou gaan ... 'En ik kan immers Feiko gewoon meenemen. Of eh ... schaam jij je dan voor mij!'
'Marte, natuurlijk niet! Ik weet ook wel dat alles steeds duurder wordt en dat jij het al helemaal niet ruim hebt. Maar ik hoop dat Luka het wil doen. Je moet hem goed duidelijk maken dat hij moet zeggen dat hij het voor een ander doet, om die ander te helpen. Hij doet het niet voor jou. Begrijp je?'
'Ja, ik begrijp het. Huib, ontzettend bedankt. Wat lief van je

dat je de moeite genomen hebt om Luka te helpen.'
'Graag gedaan, hoor. Zeg ...' voegde hij aarzelend toe.
'Ja?'
'Kun je zondagmiddag niet met de kinderen in het park gaan wandelen? De eendjes voeren of zo.'
'Waarom?'
Hij lachte. 'Ik heb zo'n zin om je te zien en ik wil die kinderen van jou ook weleens zien. Als ik dan toevallig ook in het park wandel ...'
Lachend en met glanzende ogen legde Marte even later de hoorn weer neer. Ze tilde Feiko op en nam hem mee naar de keuken, waar ze hem zijn broek uittrok. Sinaasappelsap kon vervelende vlekken maken, maar haar dag kon niet meer stuk!

**

Meneer Koopman keek op zijn horloge. Gelukkig. Over tien minuten was de les afgelopen en begon het weekend. Hij verlangde ernaar om met pensioen te gaan. Hij was nu al zo veel jaren leraar, hij had er eigenlijk zijn buik behoorlijk vol van. Elk jaar opnieuw een groep kinderen en allemaal even luidruchtig. Hij was blij dat hij er de wind wat onder had, want anders was het helemaal niet vol te houden. 'Ja, stoppen jullie maar. Kleurpotloden opruimen en tekening inleveren en tegelijkertijd je topografietoets bij mij ophalen en daarna rustig gaan zitten tot de bel gaat. Het weekend begint zo. Ik wens jullie alvast veel plezier, en ik wil géén gegil als de bel gaat.' Hij keek streng om zich heen en de kinderen hadden door dat ze hem maar beter konden gehoorzamen.

Hij had duidelijk weer zo'n bui van dat alles hem te veel was. Zacht ruimden ze hun kleurpotloden op. Zelfs Julian knalde niet met het deksel van zijn kleurdoos. Vervolgens liep de een na de ander naar meester toe. Ook Luka bracht zijn tekening. Hij wachtte geduldig tot meester zijn toets tevoorschijn haalde, maar toen hij hem aanreikte, pakte Luka hem niet aan. Met ontzetting keek hij naar de grote nul die met een dikke viltstift boven aan het papier gezet was. Boven op de nul die er eerst al stond. 'Ik heb alles goed!' protesteerde hij. 'Ik wil geen nul.'
'Pak aan en ga zitten,' zei meester streng.
Luka greep het papier en haastte zich terug naar zijn plek. Hij voelde de tranen komen en dat wilde hij niet. Als Cindy het weer zag, begon de hele klas te lachen. Hoewel, vanmiddag durfde ze er misschien niets van te zeggen, omdat meester in een kwade bui was.
Een nul, een nul. Hij wilde geen nul. Hij had ook helemaal geen nul verdiend! Hij sloeg zijn armen over elkaar, zoals meester van hem verwachtte en keek ondertussen naar het papier dat voor hem lag. Hij zag uitsluitend krullen. Alle antwoorden waren goed. Er hoorde een één voor de nul te staan, want hij had een tien. Onverwachts voelde hij een kin op zijn rechterschouder. Hij hoorde de ademhaling van Julian en hij wist dat de jongen over zijn schouder naar de test keek. 'Ha, een nul,' fluisterde Julian. 'Dat is tenminste iets. Dat is het begin van een mobielnummer. Nou de rest nog, joh!'
Luka kreeg een rood hoofd van woede, maar hij beheerste zich en bleef zitten.
'Wat gebeurt daar?' Meester keek van Luka naar Julian,

maar ze zeiden geen van beiden iets. Op hetzelfde moment ging de bel en alle kinderen stonden op. Er werd zo rustig mogelijk met de stoelen over de vloer geschoven, want ze wisten dat ze na konden blijven als ze nu te veel lawaai zouden maken.
Ook Luka stond op, maar meester hield hem tegen. 'Zitten, jij, Luka.'
Julian liep de klas uit en al zag Luka hem niet op de gang, omdat hij de andere kant opkeek, hij wist dat Julian voor het gangraam stond en hem voor gek zette. Hij hoorde kinderen lachen, Cindy's heldere lach kwam boven alles uit.
'Wat was jij van plan?' Meneer Koopman stond op en sloot de deur. Hij draaide zich naar Luka om en keek hem kwaad aan.
'Hoe bedoelt u, meneer?'
'Wou jij weggaan?'
'Ja, meneer. De bel ging.'
'Maar niet voor jou. Met een nul kun je niet van deze school af, dus je zult er iets aan moeten doen. Geef me je mobiele telefoon en ik maak er een tien van, want je had inderdaad geen fout.'
'Ik heb geen mobiele telefoon.'
'Van wie was die dan? Ik hoorde hem toch duidelijk?'
Luka haalde zijn schouders op. 'Niet van mij.'
'Normaal krijgt een leerling huiswerk als straf, maar dat hoef ik jou niet te geven,' zei meester. 'Je kent de Europese hoofdsteden blijkbaar al. Je maakt maar ouderwetse strafregels. Pak je schrift en schrijf op "Ik mag mijn mobiele telefoon niet aan hebben in de klas."'
'Ik heb geen mobiele telefoon,' hield Luka vol. Het huilen

stond hem nader dan het lachen, maar hij vond dit zo gemeen, dat hij er moed uit putte om tegen te stribbelen.
'Schrijf op wat ik gezegd heb!' Meester kwam dreigend op hem af.
Snel haalde Luka een schrift tevoorschijn en schreef de regel op. Meester zag er zo woedend uit, dat hij er bang van werd. Meester had weliswaar nog nooit iemand geslagen, maar Luka wist niet of dat zo zou blijven.
Meneer Koopman keek toe en controleerde de opgeschreven zin. 'Goed. En nu schrijf je die zin honderd keer over. Ik blijf hier nog wel even. Ik heb nog wat dingen te doen. Ik kom zo terug.'
Meester beende de klas uit en Luka keek hem perplex na. Moest hij dit nu honderd keer overschrijven? Maar dat kon helemaal niet. Hij moest naar huis. Zijn moeder zat op hem te wachten. Ze had een leuk werkje voor hem, had ze hem tussen de middag verteld. Hij moest folders rondbrengen en hij zou er geld mee verdienen. De folders zouden vanmiddag bij hen thuis bezorgd worden en hij moest meteen thuiskomen uit school. Hij was zo uitgelaten geweest, toen ze het hem vertelde. Hij vond het geweldig. Tien euro per week in elk geval. Hoeveel weken moest hij werken voordat hij een broek kon kopen? Hij was zo blij, zo gelukkig. Hij vond het zo lief van zijn moeder, maar hij had wel moeten beloven dat hij het elke dinsdag en vrijdag zou doen. Het was zijn werk. En nu mocht hij niet naar huis?
Hij merkte dat de angst in zijn binnenste verdween en plaatsmaakte voor grote woede. Hij pakte zijn pen en schreef "Ik heb geen mobieltje."
Deze zin was een stuk korter en bovendien was het waar. Hij

schreef zo snel mogelijk een hele bladzijde vol en nog een. Hij moest en wilde naar huis. Hij zou juist aan een volgende bladzijde beginnen, toen meester weer terugkwam.
'Ben je nog niet klaar?'
'Nee, meneer.'
'Dan doe je de rest thuis maar. Ik wil weg en hoewel ik jou het liefst hier voor het hele weekend opsluit, zal ik dat toch maar niet doen. Niet om jou een plezier te doen, alleen maar om zelf geen problemen te krijgen. Nou, wegwezen en volgende week wil ik honderd regels zien.'
Luka greep zijn rugtas, stopte het schrift en zijn toets erin en rende de klas uit.
Op het schoolplein stonden ze op hem te wachten. Julian en Pim en Karsten en Cindy en nog een paar. Hij zag ze meteen. Hij had ze ook verwacht. Ze hoefden immers niet meteen naar huis. Hun moeders waren er niet en kwamen er toch niet achter hoe laat ze thuiskwamen. Luka haalde diep adem. Niet huilen, dacht hij. Ik heb een baantje, dacht hij. Ik ga geld verdienen, dacht hij. Hij hief zijn hoofd op om te laten zien dat hij niet bang was, maar het hart klopte hem in de keel. De vorige keer hadden ze net zo lang aan zijn jack getrokken tot hij languit in de modder gevallen was. Wat stond hem nu te wachten?
'Wat moet dat nog hier?' bulderde opeens meneer Koopman achter hem.
Luka schrok van de voor hem onverwachte stem, maar tot zijn verrassing zag hij dat iedereen wegrende en door de grote poort de straat op stoof. Dat gaf Luka de gelegenheid om snel om de school heen te lopen en door het zijpoortje het plein te verlaten. Via een paar omwegen kwam hij uitein-

delijk toch thuis. Hij hijgde van het rennen.
'Jongen, waar kom je vandaan? Wat is er gebeurd?' riep zijn moeder uit.
'We moesten nablijven,' zei Luka. 'Zijn dat de folders? Ik kom zo.' Hij rende naar boven, naar het kamertje van Feiko en hem. Haalde de toets uit zijn tas, pakte een rode stift en zette met een fel gebaar een dikke één voor de nul. Daarna stopte hij de toets weer in zijn tas. Het ging hem te ver om hem trots aan zijn moeder te laten zien, maar naar die nul wilde hij nooit meer kijken.

HOOFDSTUK 4

Het was best een hele poos geleden dat Luka zich zo blij gevoeld had als nu. Hij merkte zelf dat zijn ogen glinsterden. Met een enthousiasme dat hij van zichzelf haast niet kende, stopte hij een stapeltje folders in de brievenbus van mensen die een paar straten verderop woonden en bij de volgende mensen en verder, alsmaar verder. Hij had eerst niet goed geweten hoe hij al die folders mee moest krijgen, maar zijn moeder was op het idee gekomen dat hij haar fiets zou gebruiken. Daar zaten grote fietstassen op en daarin kon hij veel vervoeren. Hij had trouwens eerst thuis alle folders bij elkaar ingestopt. Het waren vier verschillende en iedereen moest ze alle vier krijgen. Daarom had hij er zogenaamde pakketjes van gemaakt. Voor elke brievenbus een pakketje van vier folders. Hij zette de fiets op de standaard, haalde een pakketje uit de tas en stopte het in de brievenbus. Dan op naar het volgende huis.

Hij hoefde maar drie straten te doen aan twee kanten en het was helemaal niet ver van zijn huis. Het waren ook niet veel huizen en straks zou hij al geld krijgen. De man die de folders gebracht had, zei dat hij altijd op vrijdag zou betalen en hij had zijn moeder het geld gegeven. Vijf hele euro's kreeg hij vandaag. Op dinsdag waren er meer folders, had de man gezegd. Het aantal verschilde per week.

Luka straalde. Hij verdiende zijn eigen geld! Nou kon je voor vijf euro wel niet veel kopen en hij zou er ook niets voor kopen, maar hij ging wel ijverig sparen. Een broek kostte al gauw vijftig euro, misschien wel meer. En schoenen waren helemaal duur, dat wist hij best, maar hij had iets om naar

uit te kijken. Hij genoot.
Wat zou pappa ervan vinden? schoot het door zijn hoofd. Heel even betrok zijn gezicht, maar toen lachte hij weer. Pappa zou trots op hem zijn, dat wist hij zeker! Pappa was altijd zo blij met hem geweest. Waarom moest hij toch dood? Waarom had hij niet kunnen blijven leven? Alles was anders sinds hij er niet meer was. Mamma deed altijd wel opgewekt, maar Luka wist dat ze diep van binnen toch heel erg verdrietig was. Haar ogen straalden nooit meer zoals vroeger. Hoewel, bedacht hij nu opnieuw, de laatste tijd zag ze er anders uit, een beetje zoals eerst. Ze leek blijer en opgewekter. Dat was natuurlijk fijn, als ze pappa maar niet vergat, bedacht hij. Hij zou hem in elk geval nooit vergeten! Al was het tegenwoordig soms wel moeilijk om zijn gezicht weer voor zich te halen. Daar schaamde hij zich dan over. Dat hij niet meer precies wist hoe zijn vader eruit had gezien. Gelukkig hadden ze heel veel foto's van hem. Ook foto's waarop hij met Luka stond. En altijd keek hij trots.
Weer stopte Luka een pakketje folders in een bus en weer en weer. Opeens zag hij vanuit zijn ooghoek een bekende gedaante. Nee, toch niet Julian! Het was wel logisch. Die woonde in deze straat. Hij had er alleen niet aan gedacht. Moest hij hem net uitgerekend nu tegenkomen. Vervelend. Hij zou hem wel gaan uitlachen. Luka rechtte zijn rug. Het kon hem niets schelen. Of toch?
Julian kwam op hem af. Hij had een grote zwarte hond bij zich, die kreupel leek te zijn. Luka keek naar de hond. Het beest gromde, maar Luka had het idee dat hij gromde vanwege de pijn in zijn poot en niet omdat hij boos of vals was.
'Wat moet jij hier?' vroeg Julian.

'Is dat jouw hond?' zei Luka.
'Wat gaat jou dat aan?'
'Niets, maar het gaat jou ook niets aan wat ik hier doe. Bovendien kun je dat wel zien.' Luka was verbaasd over zijn eigen moed. Hij bukte zich snel en stopte een pakketje in de brievenbus van Julians huis.
'Pak 'm Rob,' zei Julian tegen de hond.
Luka verstijfde, maar herstelde zich. Hij had het recht om dit te doen. Hij keek op. De hond reageerde niet, maar bleef grommend zitten.
'Hij moet naar de dierenarts,' zei Luka. 'Hij heeft pijn.'
'Waar bemoei jij je mee?' Julian kwam dreigend op Luka af.
'Je bent gemeen tegen de hond,' durfde Luka nog te zeggen, maar hij greep zijn fiets om zich snel uit de voeten te maken. Julian was echter sneller en rukte hem de fiets uit handen. De hond gromde harder. Julian had hem meegesleurd aan de riem, terwijl hij de fiets uit Luka's handen trok en de hond had duidelijk pijn.
'Je bent gemeen,' herhaalde Luka venijnig. 'Dat je mij pest is al gemeen, maar een hond!'
Julian had duidelijk niet op zo veel moed gerekend en lette even niet op. Luka rukte aan zijn fiets en Julian viel om.
'Ben je helemaal!' gilde Julian. De hond boog zich over zijn baasje heen en begon zijn gezicht te likken. 'Donder op, rothond!'
Julian krabbelde overeind. 'Ik wil je hier nooit meer zien.'
'Dan heb je pech, want ik kom twee keer per week. Ik verdien mijn eigen geld vanaf nu, weet je. Ik hou mijn hand niet op bij mijn ouders, zoals jij.' Luka begreep echt niet waar hij de moed vandaan haalde. Hij herkende zichzelf totaal

niet!! Kwam het alleen maar door het idee dat hij binnenkort ook een dure broek kon kopen? Of doordat hij zich groot voelde, omdat zijn moeder dacht dat hij dit baantje best aan zou kunnen? Hij stond versteld van zichzelf, maar liep toch snel naar de overkant van de straat om daar verder te gaan met het bezorgen van de folders. Aan het einde van de straat draaide hij de fiets om en deed hij nog de laatste huizen aan Julians kant. Hij keek alle kanten op, maar zijn klasgenoot was gelukkig nergens meer te zien.
Opgelucht en blij kwam hij weer thuis. Hij zette de fiets in de schuur en stapte de keuken binnen. Daar rook het heerlijk naar stamppot van boerenkool met spekjes. 'Ik heb trek,' zei hij lachend.
Marte keek haar zoon aan. Zo blij had hij er lang niet meer uitgezien. Zat het hem dan echt zo verschrikkelijk dwars dat hij geen merkkleren had? Was kleding dan het belangrijkste in het leven voor hem?
'Julian heeft een hond en die loopt kreupel,' zei hij.
'Dat is niet best. Heeft hij zijn poot gebroken? Was je trouwens je handen even? Die worden zo vies van al die folders.'
Luka keek naar zijn pikzwarte handen en lachte. 'Je hebt gelijk. En ik weet niet wat er met die hond is. Julian wou het me niet vertellen.'
'Ik dacht anders dat Julian wel een aardige jongen was.'
'Poeh!' was alles wat Luka zei. Daarna ging hij naar de huiskamer. De tafel was al gedekt en Feiko zat al in de kinderstoel. Luka ging snel naast hem zitten en sloeg zijn arm om zijn broertje heen. Hij voelde zich zo gelukkig vandaag en dat wilde hij iedereen wel laten weten.

**

Marte liep door de stad. Ze was gek op haar kinderen en zou ze voor geen goud willen missen, maar om af en toe eens helemaal alleen in de stad te lopen, dat vond ze echt het einde. Geen kind die aan haar trok omdat hij snoep wilde hebben. Geen kind dat in de gaten gehouden moest worden. Heerlijk alleen aan zichzelf denken. Marte genoot.
Dit kon alleen op dinsdag- en donderdagmorgen als Feiko naar de peuterspeelzaal was, maar meestal gebruikte ze die tijd om het huis eens goed aan kant te maken, want dat was best lastig met Feiko om haar heen.
Ze keek op haar horloge. Ja, dat was het enige minputje aan deze ochtend. Ze moest wel de tijd in de gaten houden, omdat ze Feiko straks op moest halen. Vroeger liet Ton haar weleens op zaterdag de stad ingaan. Dan paste hij op de kinderen en kon ze echt net zo lang wegblijven als ze wilde. Ze schrok van de gedachte. Vroeger ... Toen Ton er nog was ... En Feiko nog niet ... Zouden dit soort gedachten dan nooit overgaan? Het was vier jaar geleden. Vroeger bestond niet meer. Vroeger was verleden tijd en voorbij. Ze moest nu leven, niet altijd terugvallen, maar juist naar de toekomst kijken! Toch kon ze Ton nog zo verschrikkelijk missen dat het zeer deed. Het volgende moment dacht ze aan Huib, die haar juist weer zo blij maakte. Het was inderdaad niet goed om in het verleden te blijven hangen. Haar heden en toekomst zagen er immers onverwachts weer veel zonniger uit!
Bij *Bootmans* zag ze opeens de moeder van Karsten lopen. Marte liep op haar af. ‘Hallo, ben je ook in je eentje aan het winkelen?’

De vrouw keek op. 'Hé, moeder van Luka. Ja, heerlijk vind ik dat. Even zonder man en kinderen neuzen.'
'Koop jij hier wel kleren voor Karsten?' vroeg Marte opeens. Ze kleurde. 'Sorry, dat was een onbeschofte vraag, maar Luka vraagt zo vaak om dure kleren en eigenlijk kunnen we dat niet betalen, maar hij zegt dat bijna iedereen in zijn klas merkkleren heeft.'
'Dat zegt Karsten ook, maar ik vind die kleren ook onbetaalbaar. Het geld groeit ons echt niet op de rug. Hij heeft één dure broek en die draagt hij alle dagen. Het ding is bijna te klein en in elk geval versleten. Ik was hem twee keer in de week. 's Avonds, als hij in bed ligt, zodat hij hem de volgende dag weer aankan. Soms is hij nog nat, maar hij trekt hem toch aan. Wat ik er ook van zeg.'
'Vreselijk, toch. Waarom jutten kinderen elkaar zo op?' vroeg Marte.
'Ze willen erbij horen.'
'Maar dan zijn er ook kinderen die hen uitlachen, want anders was het niet erg, toch?'
Karstens moeder keek Marte onderzoekend aan, maar ze keek in een volkomen onschuldig gezicht. 'Weet je dat niet dan?'
'Wat?' Marte schudde vragend haar hoofd.
'Luka wordt er regelmatig om uitgelachen.'
'Wat zeg je?'
Karstens moeder zuchtte. 'Karsten vertelt dat weleens. Ik geef hem altijd op zijn kop, want ik vind het vreselijk. Het gaat er niet om wat kinderen dragen, als ze maar schoon en netjes zijn, maar belangrijker is nog of de kinderen aardig en leuk zijn. Dat probeer ik Karsten al zo lang aan zijn ver-

stand te brengen, maar bij hem gaat het om de kleren. Of ze stoer gekleed zijn, en duidelijk alleen merkkleding is stoer. Daarom wordt Luka soms uitgelachen en Karsten doet daar gewoon aan mee. Terwijl hij nota bene zelf maar een zo'n broek heeft!'

Marte kreeg het gewoon snikheet van dit verhaal. Haar zoon werd uitgelachen om zijn kleren? Het was toch te grof voor woorden. 'En hun meester? Zegt die daar niets van?'

De vrouw haalde haar schouders op. 'Dat weet ik niet. Ik bemoei me er verder niet mee. Als Karsten zulke dingen vertelt, mopper ik op hem, maar verder weet ik het niet.'

'Waarom heb je me dit niet eerder verteld? Dan had ik er misschien wat aan kunnen doen!' riep Marte uit.

'Nou ja, ik dacht dat Luka het zelf wel zou vertellen.'

'Hoe lang is dit al gaande?'

'Volgens mij sinds ze in groep 8 zitten.'

'Al die maanden al?' Marte keek de vrouw met grote ogen aan. Ze vergat helemaal waarvoor ze naar de stad gegaan was. Dit was ontzettend. Zonder nog iets te zeggen, draaide Marte zich om en liep ze weg. Ze vond haar fiets en reed naar huis. Daar liep ze doelloos heen en weer. Ze had zin om Huib te bellen, maar dat kon ze niet maken. Hem storen op zijn werk om zoiets. Nee, dat ging te ver. Al wist ze dat hij zou luisteren. Helemaal nu hij afgelopen zondag de kinderen had gezien. Ze lachte in zichzelf en dacht terug aan dat moment ...

Het was echt heel leuk geweest. Ze was inderdaad, zoals hij had voorgesteld, met alle kinderen naar het park gewandeld, een zak met boterhammen in haar tas. Ondertussen spiedde ze alle kanten op, in de hoop Huib te ontdekken. Ze wilde

hem zo graag zien en natuurlijk was ze vooral erg nieuwsgierig naar zijn reactie op de kinderen. Plotseling zag ze zijn rode haardos in de verte lopen. Ze lachte. Hij viel wel op tussen de andere mensen met dat rode haar, maar het stond hem. Ze vond het prachtig. 'Kijk eens, mamma, wat een mooie hond. Het lijkt wel een sneeuwhond.' Meike stoorde haar in haar gedachten, maar het meisje had gelijk. Huib had een prachtige, hagelwitte hond aan de lijn. Dat ze die zelf niet meteen gezien had. Nee, zij keek alleen naar hem, naar zijn gezicht, zijn ogen. 'Mag ik die aaien?' vroeg Meike en liep op de hond af. Huib en Marte keken elkaar glimlachend aan, maar begroetten elkaar niet. 'Is die van jou?' kon ze toch niet nalaten verbaasd te vragen. Hij had immers met geen woord over een hond gerept.
'Nee, die is van de buren, maar ik laat hem weleens uit.'
Ze voelde dat hij niet de waarheid sprak, maar ze vergaf het hem. Ze wist gewoon zeker dat hij de buren erom gevraagd had de hond uit te mogen laten, omdat dit een prachtige manier was om met haar kinderen in contact te komen. Meike was helemaal weg van het dier en ook Luka kwam op hen af. 'Het lijkt wel net zo'n hond als Julian heeft,' zei hij. 'Alleen is die helemaal pikzwart.'
Ook Feiko liep op de hond af, hij greep hem bij de haren en de hond gromde zacht.
'Feiko, laat los,' zei Marte geschrokken, en tegen Huib: 'Hij is geen dieren gewend, sorry.'
'Geeft niets,' zei Huib lachend. 'Brombeer kan het wel hebben.'
'Heet hij zo?' vroeg Carijn. 'Wat een stomme naam. Kom, mamma, ik wil de eenden voeren.'

Het zevenjarige meisje trok aan Martes tas waar het brood in zat.
'Dat vind ik ook altijd leuk om te doen,' zei Huib. 'Bezwaar als ik meeloop?'
Terwijl ze gezamenlijk naar de vijver liepen, had Marte opeens het gevoel alsof ze weer een compleet gezin waren en dat voelde zo goed! De kinderen leken Huib ook aardig te vinden. Ze protesteerden immers niet dat hij met hen meeging. En dat was wel een vereiste. Dat zij hem ook leuk vonden. Haar kinderen waren het belangrijkste in haar leven en al vond ze Huib een fantastische man, als zij hem niet wilden accepteren, kon het allemaal niet doorgaan. Nou ja, dat zag ze later wel. Als het echt tijd was om hem aan hen voor te stellen als haar nieuwe vriend.
Het was echter niet zo'n succes dat Huib met Brombeer meeliep, want de hond blafte wild tegen elke eend die te dicht bij hem in de buurt kwam.
'Jagersinstinct,' zei Huib verontschuldigend en deed een paar passen achteruit om de meisjes de eenden te laten voeren. Marte zou het liefst ook aan de kant zijn gaan staan om even met hem te praten, maar Feiko trok aan haar hand. Hij wilde naar de rand van de vijver en dat was levensgevaarlijk. Ze moest dus wel met Feiko mee.
Luka echter liep op Huib af en bekeek de hond nog eens. 'Hij is echt heel mooi,' vond hij. 'Als ik ooit een hond krijg, dan zo eentje. Die van Julian is ook mooi, maar ik vind wit mooier.'
Huib glimlachte naar hem. 'Daarom vind ik het ook leuk om hem uit te laten. Ik vind het namelijk ook een erg mooie hond.'

‘Ik heb gisteren gewonnen met voetbal,’ zei Luka zomaar. Marte hoorde het en was erg verbaasd dat de tegenwoordig stille jongen spontaan iets begon te vertellen aan een voor hem wildvreemde. Ze voelde het als een bevestiging van haar eigen gevoel ten opzichte van Huib. Hij was aardig, lief, betrouwbaar. Luka moest dat wel net zo voelen, want waarom vertelde hij dat anders?
Ze had glimlachend staan luisteren naar hun gesprek en gevoeld hoe ze gloeide van blijdschap zoals de grote man en de kleine jongen op elkaar reageerden.
‘Gefeliciteerd,’ zei Huib enthousiast. ‘Met hoeveel heb je gewonnen?’
‘Het was best spannend,’ zei Luka. ‘Ze stonden op de hoogste plaats in de competitie. Maar we hebben toch gewonnen! Met drie-twee.’
‘Heb jij ook gescoord?’
Luka schudde zijn hoofd. ‘Ik ben achterspeler, dan scoor je nooit.’
‘Dat is zo, maar zonder goede achterspelers kun je niet winnen. Zit je allang op voetbal?’
‘Altijd al,’ zei hij. ‘Nog toen pappa leef...’ Hij onderbrak zichzelf en keek met een ernstig gezichtje langs Huib heen. Huib wist natuurlijk wat hij had willen zeggen, maar omdat ze zouden doen alsof hij Marte niet kende, wist hij hier zo snel geen raad mee.
Dat was ook niet nodig, want Luka ging alweer vrolijk verder. ‘Toen mijn vader nog leefde kwam hij naar elke wedstrijd kijken. Dat vond ik erg tof. Dat deden lang niet alle vaders. Maar die van mij wel.’
‘Dat is geweldig,’ zei Huib. ‘Ik heb ook vaak aan de lijn

gestaan.'
'Bij jouw kind?'
Nu was het Huibs beurt om ernstig in de verte te kijken. Hij knikte. 'Ja, mijn kind leeft niet meer. Net als jouw vader dus. Daarom sta ik nu nooit meer langs de lijn, maar het was wel erg leuk om te doen. Ik was altijd erg trots op hem, want hij speelde goed.'
'Je kunt wel een keer bij mij komen kijken,' zei Luka tot grote verrassing van Marte en Huib.
'Nou, dat klinkt erg verleidelijk. Misschien doe ik dat wel,' zei Huib. 'Maar dat moet ik dan eerst aan je moeder vragen. Staat zij nooit langs de lijn?'
'Soms, maar niet zo vaak. Mijn zusjes vinden er niets aan. Die zitten op gym.' Hij trok een gezicht alsof hij wilde aangeven dat dat wel de meest belachelijke sport was die er bestond en Marte, die inmiddels dichterbij gekomen was, keek hem hoofdschuddend aan.
Luka haalde zijn schouders op. 'Nou ja, voetbal is gewoon veel leuker.'
Huib boog zich naar hem toe en fluisterde: 'Dat vind ik ook, hoor!' Hij kwam weer overeind en keek Marte lachend aan. 'Je zoon vroeg of ik eens wilde komen kijken als hij speelt.'
'Tja, als hij dat vroeg, wat kan ik er dan op tegen hebben?'
'Oké, dan geef ik je mijn visitekaartje, kun je me bellen als hij een keer thuis speelt. Of uit, mag ook. Ik heb een auto.'
Hij zocht in zijn binnenzak en vond een kaartje dat hij haar toestak. Ze bekeek het en glimlachte. Huib Jacobs, bureau Volkshuisvesting en Ruimtelijke Ordening.
'Chic, hoor, maar we zullen bellen als hij een spannende wedstrijd moet spelen.'

'Leuk, ik verheug me erop. Nou, ik loop weer verder, want ik heb het gevoel dat Brombeer het hier wel gezien heeft.'
Marte had zich echt warm gevoeld vanbinnen. Het was geweldig geweest om te zien hoe Luka op Huib reageerde, maar tegelijk had ze zich er zorgen om gemaakt. Miste hij zijn vader zo dat hij elke willekeurige man uitnodigde om langs de lijn te gaan staan? Om te doen alsof zijn vader er weer stond? Ze voelde pijn toen ze naar dat kleine snoetje keek. Het was ook niet eerlijk. Elf jaar en al vier jaar geen vader meer! Ze aaide hem over de bol en trok hem even dicht tegen zich aan, maar daar zat hij duidelijk niet op te wachten. 'Dag Brombeer,' riep hij nog hard, om zichzelf een houding te geven.

Ja, het was een verrassende en leuke ontmoeting geweest, zondagmiddag, maar nu had ze andere dingen aan haar hoofd! Ze moest met Luka praten. Waarom had hij niet verteld dat hij op school gepest werd? Uitgelachen om zijn kleren! Belachelijk gewoon!
Zonder te weten wat ze deed of moest doen, liep ze de trap op. Ze liet zich op het bed van Luka zakken en keek het kamertje rond. Op zijn bureautje lagen vijf euro's naast elkaar. Keurig op een rijtje. Uit een laatje stak een wit stukje papier. Ze trok eraan en keek naar het papier met het kinderlijke handschrift. 'De topografietoets,' zei ze zacht voor zich uit. Haar blik was al meteen op de grote rode cijfers bovenaan gevallen. Een grote één en een grote nul. Het leek op een tien, maar ergens zei een stem haar dat de cijfers door twee verschillende mensen geschreven waren. Had meester hem een één willen geven en had Luka er toen een nul achter ge-

zet? Of erger nog, had hij een nul gekregen en er een tien van gemaakt? Maar alle antwoorden waren goed. Hij had gewoon een tien verdiend! Toch leken de cijfers niet bij elkaar te horen.
Ze legde het papier naast zich op bed en trok de lade verder open. Ze wist dat het tegen haar eigen regels was om te snuffelen in de laden en kasten van haar kinderen, maar ze voelde zich steeds ongeruster worden en moest kijken wat er nog meer lag. Ze vond een schrift en sloeg het open. Ze zag tientallen keren dezelfde zinnen staan. 'Ik heb geen mobieltje.'
Marte schrok. Was dat ook al iets wat hij te kort kwam? Hadden kinderen in groep 8 dan ook al een mobiele telefoon? Lieve help. Daarom had hij gezegd dat ze arm waren. Omdat hij helemaal niets had van die luxedingen. Haar ogen gleden langs de zinnen. Ze zag dat ze steeds slordiger geschreven werden. Waarom had hij die zin zo vaak geschreven? Toch niet uit woede omdat hij geen telefoon had? Haar blik viel op de eerste regel. Wat was dat nou? Daar stond heel iets anders. 'Ik mag mijn mobiele telefoon niet aan hebben in de klas.'
Ze stond op. Nam het schrift en de toets mee en liep naar beneden. Het kon nog zeker een halfuur duren voor Luka terug was. Zo lang kon ze niet wachten. Ze zou Feiko ophalen van de speelzaal en rechtstreeks doorfietsen naar school. Meneer Koopman moest haar maar vertellen wat er aan de hand was. Tenslotte moest hij ervan op de hoogte zijn dat Luka uitgelachen werd. Dan kon hij haar dat uitleggen.
Bij school kwamen Meike en Carijn op haar af. 'Mamma, wat kom je doen?'
'Ik wil even met Luka's meester praten. Wachten jullie op

me?'
Normaal liepen ze alleen naar huis. De school was zo dichtbij en ze hoefden geen drukke straten over te steken.
'Dan gaan we naar het klimrek,' zei Meike.
Marte knikte en liep met Feiko de school in, waar Luka haar tegemoetkwam.
'Mamma, wat doe jij hier?'
'Dat vertel ik je zo. Meike en Carijn zijn bij het klimrek. Ik zie jou daar straks ook wel.' Ze lachte naar hem en liep door, het inmiddels lege klaslokaal in. 'Goedemorgen meneer Koopman, ik ben Marte, de moeder van Luka. Ik zou u iets willen vragen.'
'Laat ik dan maar beginnen,' zei hij met zijn zware, norse stem, terwijl hij nadrukkelijk op zijn horloge keek, 'want ik ben niet zo te spreken over uw zoon. Ik vind dat u hem beter moet opvoeden.'
'Wat?' Martes mond viel open. 'Waar hebt u het over?'
'Hij liegt en pest de andere kinderen en dat hoort niet.'
'Hij liegt?'
'Inderdaad.'
'En daarom heeft hij strafregels moeten schrijven?' zei Marte, want opeens had ze door waar al die zinnen voor waren.
'Juist ja. Hebt u ze gevonden? Zijn het er nu eindelijk precies honderd? Ik had ze gisteren namelijk verwacht.'
Marte besloot daar niet op te reageren. 'Waarom heeft hij geen tien voor zijn topografietoets gekregen?' vroeg ze.
'Omdat hij een nul verdiend had. Kinderen die liegen, krijgen een nul.'
'Wat moet hij van u opschrijven in zijn strafregels?'
'Dat kunt u zelf toch wel zien?'

'Dat zijn mobiele telefoon niet aan mag in de klas?'
'Precies!'
'Hij heeft geen mobiele telefoon,' zei Marte rustig.
'Begint u nou ook al te liegen?' riep meneer Koopman woest uit.
'Nee, Luka en ik hebben helaas het geld niet om zulke luxedingen te kopen. We zijn blij dat we elke dag brood kunnen betalen.'
Hier wist meneer Koopman zo snel niets op te zeggen.
Marte haalde diep adem. 'En geld om dure kleren te kopen, hebben we ook niet. Zoals u vermoedelijk niet weet, want u lijkt me geen man die zelf kinderen heeft grootgebracht, zijn kinderen duur. Ik heb er vier en daarom geen geld voor dure kleren. U laat het echter toe dat de andere kinderen in uw klas Luka daarom pesten. Dat is minachting van de ander en dat u dat toestaat is grove nalatigheid van u als meester. Ik denk dat ik u maar moet aanklagen bij de onderwijsinspectie. Dag meneer Koopman.' Ze draaide zich om en liep met kaarsrechte rug de klas uit, terwijl ze Feiko met zich meetrok. Lieve help, hoe had ze zo tegen de meester tekeer kunnen gaan? Ze trilde ervan, maar opeens begon ze te lachen. Het was zijn eigen schuld. Wat een arrogante kerel, zeg. Waar haalde hij het lef vandaan om te zeggen dat zij loog! Maar het volgende moment betrok haar gezicht. Als hij dit nu maar niet op Luka zou wreken.

HOOFDSTUK 5

Marte was aardappels aan het schillen, zodat ze het eten voorbereid had, voordat de kinderen uit school kwamen. Feiko zat op de vloer naast haar met zijn blokken te spelen. Tussen de middag had ze niet meer met Luka gesproken. Dat wilde ze ook niet doen waar de anderen bij waren, maar vanavond, als ze hem naar bed bracht, moest het er toch echt van komen. Ze kon nog witheet van woede worden door de blik in de ogen van meneer Koopman en het feit dat hij durfde zeggen dat zij ook loog!

Ze hoorde lawaai buiten en keek op. Meike en Carijn kwamen eraan. Ze begroette hen lachend en schonk een glaasje fris voor hen in. Opnieuw hoorde ze lawaai, maar nu was het veel wilder. Luka kwam thuis en smeet zijn fiets tegen het schuurtje. Hij kwam met boze stappen op de achterdeur af. Marte schrok van zijn gelaatsuitdrukking. Het lag haar op de lippen om er iets van te zeggen dat hij zo ruw met zijn fiets omsprong, maar ze hield zich in. Normaal deed Luka nooit zo ruw. Er was iets gebeurd. ‘Dag jongen, wat is er met jou?’

‘Niks,’ mompelde hij en liep langs zijn moeder de gang in. Ze hoorde hem de trap op lopen. ‘Maar de folders!’ riep ze hem achterna. Ze keek naar haar kinderen. ‘Mamma is even naar boven. Letten jullie zolang op Feiko?’ Ze borg het aardappelschilmesje weg en verdween achter Luka aan naar boven.

Hij had zijn deur dichtgetrokken, dus klopte Marte aan. ‘Luka, mag ik even binnenkomen?’

Ze hoorde geen antwoord en deed de deur open. Hij lag op

zijn bed en huilde. Kalm liep ze op hem af en ging ze bij hem op het randje zitten. 'Lieverd, wat is er?'
'Niks,' snikte hij. 'Ik wil niet praten.'
Marte streelde hem over zijn rug, maar ze merkte dat hij dat niet wilde. Ze trok haar hand terug en zei zacht: 'Ik wil wel praten. Ik was vanmorgen in de stad en kwam Karstens moeder tegen bij *Bootmans*.'
'Zal wel,' zei hij lelijk.
'Echt wel,' zei ze glimlachend. 'Ik vroeg of zij voor Karsten kleren kocht bij *Bootmans* en ze zei van ja. Karsten heeft één dure broek, meer niet.'
'Dat weet ik heus wel, maar die heeft hij tenminste.'
'Luka, kijk me eens aan.'
Langzaam draaide hij zich om. Hij kwam overeind en ging ook zitten. 'Ze pesten Karsten nu ook al,' zei hij zacht.
'Ook? Wie nog meer dan?'
Luka begreep dat hij zich had versproken en beet zijn lippen op elkaar.
Marte legde een hand op de zijne. 'Word jij gepest? Omdat je goedkope kleren draagt?'
Hij knikte en opeens kwamen de tranen in grote stromen.
Ze trok hem tegen zich aan. 'Jongen toch, wat een vervelende klasgenoten heb jij! Hebben ze dan allemaal dure merkkleren en zijn kleren echt het enige belangrijke in hun leven?'
'Je hoort er niet bij als je niet van die kleren hebt,' snikte hij.
'Waarbij? Bij wie? Hoort de hele klas er dan bij?'
'Nee, Laura ook niet en Karsten nu ook niet meer.'
'Nou, dan hoor je toch bij die anderen! Is dat niet goed dan?'
'Julian is de stoerste jongen van de klas, maar hij pest het

hardst.'
'En jij wilde graag bij Julian horen omdat hij zo stoer is.'
Hij knikte.
'Waarom dan, Luka? Wat is er nu voor leuks aan een jongen die pest?'
'Nee, dat is ook niet leuk, maar het is wel leuk om zo stoer te zijn.'
'Maar dat ben jij toch ook? Jij kunt toch ook je mond wel opendoen?'
'Ze lachen me altijd meteen uit als ik wat zeg en dan durf ik niets meer.'
'Waarom heb je strafregels gekregen, Luka?'
Hij keek haar geschrokken aan.
'Ja, sorry, ik was nogal in de war van wat Karstens moeder zei. Ze vertelde me dat jij op school gepest wordt om je kleding. Daar schrok ik vreselijk van en daarom was ik naar je kamer gegaan om te kijken wat voor kleren jij eigenlijk hebt en toen zag ik je toets. Je had hem niet goed in de la gestopt. En daarna vond ik je schrift met strafregels.'
'Het is *míjn* la,' zei hij verwijtend.
'Dat klopt en het was ook niet netjes, maar Luka, je bent de laatste weken veel stiller dan anders. Ik maak me zorgen om jou. Wat is er op school gebeurd?'
'Ze weten het altijd zo te draaien dat meester denkt dat ik het gedaan heb. Ze kijken altijd naar mij en meester gelooft het meteen.'
'Heb je wel gezegd dat je geen mobiele telefoon hebt?'
'Natuurlijk!' riep hij vertwijfeld uit.
'Dus als ik het goed begrijp, word je gepest op school en meester laat dat gebeuren. Hij helpt ze zelfs mee.'

Luka haalde zijn schouders op.
'Daarom was ik vandaag op school,' zei Marte nu.
Opnieuw keek Luka geschrokken, maar Marte reageerde er niet op.
'Meester deed tegen mij ook niet aardig. Hij zei zelfs dat ik ook aan het liegen was. Ik denk erover om de directeur te bellen. Meneer Koopman maakt een grote fout en dat moet afgelopen zijn.'
'En als ze er op school achter komen, dan word ik nog harder gepest.'
'Dat zal ik erbij zeggen tegen de directeur.'
'Je kunt me beter een dure broek geven, mamma, dan is alles meteen over.'
Marte glimlachte. 'Denk je dat, slimmerd?' Ze trok hem liefkozend tegen zich aan. 'Ze gaan vast nog harder lachen, omdat je er eindelijk eentje hebt. Ze zullen vast zeggen: "Moest je zo nodig dezelfde kleren als wij?" en dan ben je er nog niet vanaf. We moeten iets anders doen. We moeten de kinderen laten inzien dat kleren niet belangrijk zijn. Trouwens, Luka, waarom kwam je zo boos thuis en kwakte je je fiets tegen het schuurtje?'
Hij draaide zijn hoofd af.
'Nou?'
'Mijn fiets is kapot. Julian heeft de banden lek geprikt.'
'Meen je dat?'
'Ja. Je hebt wel gelijk met die broek. Hij heeft gezien dat ik folders rondbreng en nu zit hij me daarmee te pesten. "Hoeveel foldertjes moet je nog doen voor je een broek bij elkaar gewerkt hebt?" zegt hij. Eerst zei ik niets, maar hij begon te schreeuwen en iedereen keek naar me en toen werd ik boos

en wilde ik naar hem schoppen.'
'Dus pakte hij je fiets af.'
'Ja, maar vrijdag, toen durfde ik wel tegen hem in te gaan. Toen had hij die hond bij zich, die kreupel was.'
Marte trok hem opnieuw tegen zich aan. 'Dus als het om dieren gaat, kun je er wel voor opkomen, maar als het om jezelf gaat ... Je bent zo lief, hè, Luka.' Opeens duwde ze hem van zich af en keek hem recht aan. 'Dat is het, Luka. Je bent te lief! Julian is helemaal niet lief. Die is alleen maar stoer en heeft een grote mond en een boel lef. Maar ik kan je wel verzekeren dat je met lief en vriendelijk zijn verder komt in deze wereld dan met alleen maar stoer zijn. Het lijkt wel tof, maar eigenlijk vindt iedereen vriendelijke mensen leuker dan stoere mensen.'
'Als jij het zegt,' mompelde Luka, die hier niet van overtuigd was. 'Julian heeft mooi geen nul voor zijn toets.'
'Julian krijgt nooit een leuke baan als hij zijn huiswerk niet leert en je moet je hele leven werken, dan is het wel zo prettig als je een baan hebt die je leuk vindt. En jij hebt al een baantje dat je leuk vindt, toch? Je moet echt nu de folders gaan rondbrengen, jongen. Ze liggen beneden in de kamer.'
Luka zuchtte. Hij zag het al voor zich. Julian met de hond ...
'We moeten het er nog maar eens over hebben, maar nu liggen de folders te wachten en het is al zo snel donker. Als jij nou de folders doet, zal ik vragen of buurman even naar de banden wil kijken. Afgesproken?'
Luka knikte en liep met haar naar beneden, waar hij de folders in elkaar begon te vouwen. Ondertussen liep Marte met zijn fiets naar de buurman, maar ze kwam al snel weer terug. 'Luka, je banden waren niet lek. Iemand heeft ze alleen

maar leeg laten lopen.'
'Zijn ze niet lek?'
'Nee.'
Opeens kon Luka weer voorzichtig lachen. 'Dus ik ben erin getuind! Wat suf. Wat zal Julian plezier gehad hebben omdat ik zo boos was. Dus ze zijn echt niet lek?'
'Nee, echt niet.'
Hij lachte nu hardop. 'Dus Julian is niet de enige die stom is, ik ben het zelf soms ook!'

**

's Avonds belde Huib op. Ze had net alle kinderen in bed. Hoewel haar hart meteen een sprongetje maakte van vreugde, klonk ze toch niet zo vrolijk als hij van haar gewend was.
'Wat is er, Marte?'
'Ze pesten Luka op school omdat hij geen dure kleren heeft en zijn meester heeft hem strafregels laten schrijven omdat hij zou liegen. Nu begrijp ik waarom hij niet veel meer buiten speelde.'
'Wat zeg je nou? Hoe ben je daarachter gekomen? Heeft Luka dat verteld?'
'Ik kwam de moeder van Karsten tegen. Dat is een jongen uit Luka's klas.' Vervolgens vertelde ze hem wat Karstens moeder gezegd had. Ze vertelde ook dat ze op Luka's kamertje was geweest en de toets en het schriftje met strafregels gevonden had. En tot slot vertelde ze hem over het gesprek met meneer Koopman.
'Wat een onbeschoftheid,' viel Huib uit. 'Waar haalt zo'n kerel het lef vandaan om zo tegen jou uit te vallen. Hoe durft

hij te zeggen dat jij liegt!'
Marte moest glimlachen om zijn reactie. Alsof hij haar verdedigde. Wat klonk dat lief en wat was dat fijn. Het was lang geleden dat een man zo lief voor haar gedaan had. Sinds Ton ... Nee, niet aan denken nu. Ton was er niet meer en zou nooit meer terugkomen ook. Nu was Huib er! 'Het is een oudere man. Ik denk dat hij de zestig al gepasseerd is. Hij zal zijn buik wel vol hebben van het lesgeven.'
'Dan moet hij ermee stoppen. Marte, zo'n vent kan toch niet voor de klas staan. Je moet de directeur bellen. Dit moet uitgezocht worden.'
'Ik wilde eigenlijk eerst nog een keer met Luka overleggen. Hij vindt het niet leuk als ik naar de directeur ga, dus hij moet het ermee eens zijn. Wat ik wel triest vind, dat is dat hij het mij nooit heeft verteld. Dan had ik eerder stappen kunnen ondernemen. Ik vind dit zo sneu voor hem. Hij is zijn vader al kwijt en nu wordt hij nog gepest ook. Waarom zei hij dat toch niet tegen me?' verzuchtte ze.
Het viel even stil aan de andere kant van de lijn, maar toen begon Huib weer te praten. 'Dat kan ik je wel uitleggen,' zei hij wat verlegen. 'Ik ben vroeger ook gepest. Mijn haar was vroeger bijna oranje, een stuk lichter dus dan nu en ik werd altijd voor vuurtoren uitgescholden. Omdat ik daar niet op reageerde, werden ze boos en begonnen ze andere dingen uit te vreten. Ze maakten zelfs een keer mijn jack stuk. Knipten er gewoon een mouw af. Ik durfde dat soort dingen ook niet thuis te vertellen en verzon smoesjes waarom mijn jack kapot was of waarom ik weer een gat in mijn broek gevallen was of een blauwe plek op mijn been had.'
'Maar waarom dan niet? Dan hadden je ouders toch voor je

op kunnen komen?' vroeg Marte verbaasd.
'Tja, eigenlijk schaam je je ervoor dat je gepest wordt. Je voelt jezelf afgaan. Je vindt ook dat je voor jezelf moet kunnen opkomen, zonder ouders. En ik was er ook zeker van dat het alleen maar erger zou worden als mijn ouders zich ermee gingen bemoeien. Dan zouden ze me ook nog voor moederskindje uit gaan maken, dacht ik.'
Marte knikte. 'Dat laatste kan ik wel begrijpen, maar waarom zou je je ervoor schamen? Je kunt er zelf toch niets aan doen? Je bent toch geboren met rood haar?'
'Ergens heb je als kind al het gevoel dat je ouders van je verwachten dat je een grote jongen bent. Dat zeggen ouders toch ook geregeld. Ik denk dat jij dat ook wel tegen Luka zegt. En grote jongens moeten zichzelf kunnen redden. Die gaan niet klagen en huilen bij hun ouders. Snap je?'
Marte knikte aarzelend. 'Zoals jij het zegt ...' zei ze aarzelend, maar had er toch moeite mee dat Luka het verzwegen had. Ze stond immers altijd voor hem klaar. 'Ik ben er toch altijd voor hem,' zei ze lichtelijk verwijtend.
'Natuurlijk, maar je moet ook begrijpen waarom hij het niet vertelde en waarom hij misschien niet wil dat je hem helpt. Ik wilde eigenlijk tegen je zeggen dat ik het zo'n geweldig leuke knul vind. Ik was zondagmiddag echt aangenaam verrast toen ik je kinderen zag. Ze zagen er allemaal even leuk en lief uit, maar Luka spande de kroon. Zoals hij tegen me begon te vertellen over voetbal en me zelfs uitnodigde een keer te komen kijken. Geweldig, toch! Hij deed me aan ...' Even viel hij stil, maar hij maakte de zin toch af. 'Hij deed me zo aan Emiel denken. Die kon ook heel spontaan uit de hoek komen. Luka is een geweldige knul.'

‘Het was inderdaad heel verrassend zoals hij tegen je praatte. Het was ook een leuk idee van jou om elkaar zo tegen te komen. Ik bedoel ...’
‘Ik weet wat je bedoelt. Je wilt me nog niet voorstellen als je vriend, want dan kon hij weleens gaan protesteren. Hij zit misschien niet te wachten op een nieuwe vader, maar op deze manier was het heel onschuldig.’
Ze knikte en glimlachte. Wat begreep hij haar toch goed!
‘Ik denk dat ik eerst maar eens naar een uitwedstrijd ga. Dan staan er vast minder mensen langs de lijn en valt het niet meteen zo op.’
‘Dat vind ik lief, van je, want ja, als iedereen het ziet, gaan ze van alles denken ... Maar ik ben erg blij dat je ze leuk vindt, alleen: vind je vier niet wat te veel?’
‘Het is bijna een bus vol, ja, maar het kwam niet als erg veel op me over. Ze zijn gewoon heel lief en ik ben gek op kinderen. Ik had zelf wel een heel elftal willen hebben ...’ Zijn stem zweefde weg, maar hij herstelde zich snel. ‘Wanneer kan ik jou weer zien?’

**

De vrijdagmiddag daarop zat meneer Koopman met zijn armen over elkaar voor de klas te wachten tot de kinderen zaten. Ze keken hem bevreemd aan, want meestal riep hij tegen hen dat ze zich stil moesten houden anders kregen ze straf. Nu zei hij niets en daarom gingen ze zelf ook stil zitten. Wat stond hun nu te wachten?
Ook Luka keek met angstige ogen naar zijn leraar. Hij was trouwens al dagen anders dan anders. Het zou toch niets met

zijn moeder te maken hebben die met de directeur wilde gaan praten? Had ze dat al gedaan? Luka werd er bang van. Woensdagochtend bijvoorbeeld had meneer Koopman hem voor de klas geroepen en hem om zijn strafregels gevraagd met een gezicht van “als je ze nou nog niet afhebt, doe ik je wat”. De hele klas had zitten kijken, terwijl meester zijn strafregels nakeek. Wat was Luka toen bang geweest. Hij had immers honderd keer de verkeerde zin opgeschreven. Hij durfde meneer Koopman niet aan te kijken, maar toen hij zijn naam hoorde, moest hij wel. Meester had zijn agenda geopend en wees daarin Luka’s naam aan. Achter het woord topografie stond een tien. ‘Je mag het zelf ook op je toets veranderen,’ zei meneer Koopman, ‘maar belangrijker is dat het in mijn agenda goed staat. En nu snel naar je plaats.’ Vervolgens had hij iedereen opdracht gegeven om zijn of haar tas uit te pakken en alle spullen op de tafeltjes te leggen. Ook de broekzakken moesten leeg.
Bij zestien kinderen had hij een mobiele telefoon gevonden en al die telefoons had hij meegenomen naar zijn eigen bureau. Vooral Julian was nogal tekeergegaan, maar het had hem niets geholpen. Meester had hen streng aangekeken en zei: ‘Zoals jullie weten, heeft Luka geen gsm, dus was het een van jullie telefoons die overging. Daarom houd ik deze minstens een week in mijn bezit. Tenzij jullie op komen biechten welke telefoon er aan stond.’
Julian was kwaad overeind gesprongen en had geschreeuwd dat meester van zijn spullen af moest blijven, maar meester had geen kick meer gegeven. Hij had het rekenboek opengeslagen en was een som op het bord gaan schrijven.
Luka kon wel juichen. Een tien voor de toets. Maar hij

waakte er wel voor daarvan iets te laten merken. Meester was nog steeds woest. Ook de andere kinderen durfden niets te zeggen.
Nu was het vrijdagmiddag en ze hadden dus al een paar dagen geen telefoon. Zouden ze hem terugkrijgen of zou meneer Koopman ze echt een hele week houden? Zelfs het weekend?
Het was doodstil in de klas. Meester zei ook alsmaar niets. Het was erg vreemd en voorzichtig begon de een na de ander van de spanning met zijn voeten over de vloer te schuifelen.
De deur ging open en er kwam een onbekende dame binnen. Ze droeg een knaloranje rok tot net over haar knieën. Daaronder had ze een felblauwe panty aan en haar blouse was gifgroen met heldergeel. In haar hand droeg ze een wel erg grote sporttas.
'Goedemiddag, allemaal,' zei ze vriendelijk.
'Goedemiddag, juffrouw,' zei meester Koopman. Hij stond op, legde een doos vol telefoontjes op zijn bureau, knikte naar de juf en verliet de klas.
Zoiets raars hadden ze nog nooit meegemaakt. Niemand durfde nog iets te zeggen.
De juf schreef haar naam op het bord. 'Ik heet Sofia. Vanmiddag kom ik even met jullie praten. Het lijkt me gezelliger als we met zijn allen naar de hal gaan. Daar kunnen we in een kring zitten en dat praat wat prettiger. Nemen jullie allemaal je eigen stoel mee? Verder heb je niets nodig.'
Julian was ook stil door dit onverwachte gedoe, maar toen hij langs het bureau van meester liep, greep hij zijn mobiele telefoon uit de doos. Op de gang grinnikte hij tevreden. Die

had hij weer terug!
Toen hij er echter op keek, zag hij dat de batterij leeg was en dat hij er dus niets mee kon doen op dat moment. Kwaad stopte hij hem in zijn broekzak.
In de hal gingen ze in een kring zitten. Langzaam maar zeker begonnen de kinderen weer wat praatjes te krijgen, maar toen Sofia vroeg of ze stil wilden zijn, waren ze dat meteen. Ze begrepen totaal niet wat er aan de hand was. Waarom had meester het niet gewoon uitgelegd?
'Hoe heet jij?' vroeg ze Julian.
'Julian,' zei hij trots.
'Mooie naam, Julian. Mag ik die telefoon even van je terug?'
Tot zijn eigen schrik kreeg hij een rood hoofd en Luka kon zich niet inhouden toen hij dat zag. Hij begon te giechelen.
'En jij? Hoe heet jij?' vroeg ze.
'Luka, juffrouw.'
'Luka. Ook al zo'n mooie naam, maar hoe zit het, Julian? Kun je hem even komen brengen?'
Julian stond schoorvoetend op. Op de een of andere manier had hij er moeite mee brutaal te doen tegen deze juf. Het leek alsof ze dwars door hem heen keek en precies wist wat hij dacht. 'Alstublieft, juf,' zei hij zacht.
'Dank je, Julian. Wat vind je trouwens van mijn kleren?'
Hij keek haar verbluft aan. Wat een vraag.
Sofia lachte. 'Ga maar weer zitten en geef dan antwoord.'
Julian ging zitten en bekeek haar van top tot teen. 'Ik zou zeggen dat het jammer is dat ik mijn zonnebril niet bij me heb. Het doet me zeer aan de ogen, al die kleuren.' Hij lachte en de anderen in de klas lachten mee. Het ijs leek gebroken.
Sofia knikte. 'Je hebt gelijk. Het zijn heel felle kleuren en jij,

wat vind jij ervan?'
Ze wees naar Cindy.
'Ik vind het maar niks. Belachelijk eigenlijk.'
'En jij?' Ze keek Laura aan.
Laura bloosde. 'Ik wou dat ik zulke kleren had,' zei ze zacht.
'Dus je vindt ze mooi?'
Laura knikte. 'Maar ik zou ze nooit aan durven trekken,' zei ze.
Op dat moment wist Luka waarom Sofia er was. Zijn moeder had met de directeur gepraat en dit was het gevolg. Schuchter keek hij om zich heen. Zouden de anderen het doorhebben? Zouden ze dat begrijpen? Nee. Dat kon gewoon niet. Niemand wist toch dat zijn moeder het wist?
'Luka?'
Hij had de vraag niet gehoord.
'Wat zei u, juf?'
'Als Laura zulke kleurige kleren droeg, zou je haar dan uitlachen?'
'Natuurlijk niet. Ze moet zelf weten wat ze draagt. Als zij het mooi vindt ...' zei hij vol overtuiging.
'Typisch Luka,' mompelde Julian 'Altijd het lieve ventje spelen.'
'Wat zei je, Julian?'
De jongen kleurde, maar herhaalde zijn opmerking niet.
'Wat zou jij dan doen, Julian, als Laura met zulke kleren op school kwam?' ging Sofia verder.
'Ik zou haar vragen om tikkertje te doen en dan hoop ik dat ze valt en dan heeft ze lekker een groot gat in die belachelijke panty.'
Sofia keek hem waarderend aan. 'Goed, Julian. Geweldig.

Mijn complimenten.'
Julian glunderde en Laura's hoofd werd zo mogelijk nog roder. Ze wilde opstaan en protesteren, maar Sofia gebood haar met een handgebaar stil te blijven zitten.
'Dat vind ik echt flink van jou, Julian,' ging Sofia verder en de jongen straalde. 'Dat jij zo eerlijk durft te zeggen wat voor gemene ideeën jij hebt. Dat je daar open en bloot voor durft uit te komen. Fantastisch.'
Julian lachte hardop en keek trots in het rond. Hij had het goed voor elkaar. Hij had het gemaakt bij deze juffrouw. Toch zag hij geen bewondering in de ogen van zijn klasgenoten en toen pas drong het tot hem door wat ze eigenlijk gezegd had. 'Gemene ideeën?' herhaalde hij verward.
'Ja, zo noem ik dat wel, maar dapper dat je het hardop durft te zeggen. Je lijkt me een heel stoere jongen.'
Julian zweeg en Luka merkte dat zijn hart een sprongetje maakte van blijdschap. Julian was door zijn eigen woorden verstrikt geraakt. Luka vond dit prachtig, maar probeerde het niet te laten merken.
'Ik ben kledingontwerpster,' vertelde Sofia. 'Ik heb deze kleren zelf ontworpen. Ik maak kleren van goedkope lapjes van de markt of van goedkope T-shirts van *Bootmans*. Ik weet heel goed dat ik er nu erg opvallend uitzie, maar als jullie een paar minuutjes stil op je stoel kunnen blijven zitten, zal ik jullie wat anders laten zien. Lopen jullie even mee?' Ze keek Laura en Cindy aan.
De meisjes knikten beduusd en volgden haar naar het klaslokaal.
'Kijk, trek dit eens voor me aan. Volgens mij is het precies jullie maat. Voor elk een broek, een blouse en een hes.'

Zelf trok ze snel haar rok uit, haalde een lange, bruine broek uit de tas en trok die over de panty aan. Haar blouse verving ze door een openhangend, zachtoranje jasje. Het shirt dat ze er al onder had was ook bruin. Ze was sneller klaar dan de meisjes, maar dat was ook de bedoeling. Ze hoorde al geluiden vanuit de hal. 'Komen jullie zo? Ik moet weer terug,' zei ze gehaast.
In de hal stonden Julian en Luka tegenover elkaar.
'Wat gebeurt hier?'
'Hij heeft tegen meester gezegd dat het mijn mobieltje was,' zei Julian kwaad.
'Klopt dat?' Sofia keek Luka aan.
'Nee, juf. Hoe kon ik dat zeggen? Ik wist het niet eens.'
'Ga zitten, Julian en gedraag je. Wat heb je eraan om stoer te doen en mensen te beschuldigen. Je moet eerst bewijzen hebben, dan mag je pas beschuldigen.'
'Het is toch genoeg bewijs dat meester mij mijn mobieltje heeft afgepakt!' riep hij.
'Meester heeft alle mobiele telefoons afgepakt,' zei Sofia. 'Hij heeft me gezegd dat ik ze jullie straks weer terug mag geven. Straks, Julian! Als Luka jou beschuldigd had, had hij alleen jouw telefoon in beslag genomen, denk je ook niet?'
Julian knikte. Daar zat wat in.
'En nog wat, Julian. Als jij gewoon eerlijk opgebiecht had, dat het jouw telefoontje was, had Luka geen straf gekregen en hadden die andere kinderen hun telefoon niet ook hoeven inleveren. Door jouw stoere gedoe hebben heel wat kinderen straf gehad deze week. Vind je dat nou echt leuk?'
Julian ging zitten en zei niets meer. Waarom was het nou niet leuk om een grote mond tegen deze juffrouw te hebben?

Bij meester had hij meestal succes. Dan voelde hij zich goed en lachten de anderen, maar bij deze juf werkte het niet en het leek er zelfs op, dat de anderen hem stom vonden.
Plotseling begonnen een paar kinderen in hun handen te klappen. Het bleek dat Laura en Cindy eraan kwamen. Karsten floot tussen zijn tanden en Pim en de anderen deden mee. De meisjes lachten en Laura bloosde opnieuw.
'Nou, wat zeggen jullie ervan?'
'Prachtig,' zei Pim spontaan.
'Ja, echt wel,' riep Laura blij.
'Dus zo zou je wel naar school willen gaan?' vroeg Sofia.
De beide meisjes knikten heel hard van ja.
'En wie zou ze uitlachen?' vroeg Sofia terwijl ze de kring rondkeek.
Niemand reageerde, behalve Karsten, die opnieuw naar hen floot.
'Maar waarom vinden jullie het mooi?' ging Sofia verder. 'Het zijn geen kleren van een duur merk. Het zijn zelfs geen kleren waarvan je er tien op een rek vindt. Het zijn unieke kleren en ze zijn heel goedkoop. Misschien kost alles bij elkaar – de broek, het bloesje en het hesje – vijftien euro per stel. Dus: waarom fluiten jullie naar hen?'
Iedereen zweeg. Niemand wist een antwoord.
'Ik dacht dat het mode was om in dure kleren te lopen,' zei Sofia.
Ze bleven zwijgen. Het was duidelijk dat ze zich niet op hun gemak voelden.
Sofia lachte. 'Laura en Cindy, jullie mogen de kleren houden. Ik vind het namelijk heel dapper dat jullie ze voor mij geshowd hebben. Ik ben nog maar sinds kort kledingont-

werpster en ik wilde eens zien of mijn kleren bij de jeugd in de smaak zouden vallen. Zo te zien, doen ze dat. Super! Als jullie eens zin hebben om in mijn boetiekje te komen kijken?' Ze legde uit waar ze haar werkplek had en zei dat iedereen welkom was. 'Pak de telefoons en je spullen en ga naar huis. De bel is nog niet gegaan, maar jullie krijgen de laatste minuten er gratis bij van mij.'
De kinderen juichten.
'Stil!' riep Sofia. 'De andere klassen zijn nog niet uit.'
Gehoorzaam liepen ze zonder te schreeuwen het schoolgebouw uit. Op het schoolplein bekeken de andere meiden de kleren van Laura en Cindy uitgebreid en het was duidelijk dat ze jaloers waren.
'Mijn moeder kan ook wel zo'n blouse maken,' zei Luka opeens.
Cindy keek hem minachtend aan, maar bedacht zich. 'Echt?'
'Zeker weten,' zei Luka. 'Breng maar een lapje stof en laat het model aan haar zien, dan heb je er zomaar nog eentje bij.'
'Dan kom ik morgen bij je langs, hoor!' zei Cindy. Het klonk bijna dreigend, maar Luka's hart juichte. Het was de eerste keer in maanden dat Cindy gewoon en spontaan tegen hem praatte. Het leek wel alsof hij er opeens bij hoorde. Kon dat werkelijk waar zijn? Hij keek van haar naar Laura en zag het beteuterde gezicht van Laura, het meisje dat meestal ook geplaagd werd. Door Cindy.
'Hé, dat geldt ook voor jou, hoor, Laura. Je komt maar een lapje brengen.'
Later liep hij naar huis en het leek alsof hij vleugels had. Dit was een prachtige middag geweest en hij had heel erg veel te vertellen thuis.

HOOFDSTUK 6

Van dat vertellen kwam niet veel, want de folders lagen thuis in een grote stapel op hem te wachten. Hij was het totaal vergeten. Zijn moeder was met Feiko aan het spelen en Meike en Carijn had hij al in de tuin gezien. Hij besloot eerst maar de folders te gaan sorteren. Vertellen kon altijd nog. Hij werkte geconcentreerd door en zag niet dat zijn moeder hem onderzoekend bekeek. Nadat alle pakketjes klaar waren, stopte hij een heel groot pak in de fietstassen van zijn moeder en ging met de fiets aan de hand de straat op. De eerste die hij tegenkwam, was Julian. Ook dat nog, dacht hij. Waarom moest hij nou uitgerekend deze straat befolderen?
'Zijn je banden lek?' vroeg hij grinnikend.
'Helemaal niet.'
'Waarom ben je dan met je moeders fiets?'
'Ach, ga toch zelf geld verdienen,' zei Luka mokkend, maar hij was toch bang dat Julian ook deze banden leeg zou laten lopen. Hij bleef staan en keek hem aan. Had hij vanmiddag niet genoeg geleerd?
'Waarom heb jij tegen meester gezegd dat het mijn mobieltje was?' hield Julian vol.
'Als ik dat gezegd had, had meester alleen jouw ding afgepakt. Heb je dat nou nog niet door? En als ik het gezegd had, had ik ook geen honderd strafregels hoeven schrijven.' Luka voelde dat hij kwaad werd. 'Wanneer laat je me toch eens met rust?'
'Als je net zo stoer bent als ik. Wat moest je trouwens schrijven?'
'Dat ik mijn mobiele telefoon niet aan mag hebben in de

klas.'
'Goeie! Je hebt niet eens zo'n ding. Bij jullie zijn ze zo arm, dat ze er niet eens eentje betalen kunnen. Belachelijk, zeg. Elf jaar en je eigen geld verdienen. Mijn ouders vinden het een schande dat jij een krantenwijkje hebt en ik ook.' Lachend liep hij weg en Luka stond hem beteuterd na te kijken. Was het dan nooit goed? Vanmiddag had het echt geleken alsof Julian iets geleerd had en alsof hij veranderd was, maar hij was niets veranderd.
Luka zuchtte en ging verder met de folders. Hij moest er wel op letten dat hij geen brievenbus oversloeg, want dan kreeg hij klachten en elke klacht betekende minder geld. Had hij hier nu al wel of niet een stapeltje folders door de bus geduwd? Hij liep op de deur af en gluurde door de brievenbus, maar hij zag niets. Nou, dan nog maar een stapeltje. Beter een te veel dan te weinig. Misschien hadden deze mensen nu alles dubbel, maar Luka had er toch genoeg.
Het was trouwens vrijdag, schoot hem opeens weer te binnen. Nu zou hij voor een hele week betaald krijgen en zijn moeder had gezegd dat het extra veel was, omdat hij dinsdag een folder meer had moeten bezorgen. Hoeveel zou hij krijgen? Hij had er al vijf en minstens tien erbij. Dat was vijftien euro! Lieve help, wat kon je daar wel niet allemaal mee doen? Hij betwijfelde het eigenlijk of hij nog een dure broek zou gaan kopen. Als hij terugdacht aan die middag. Dan konden kleren van de markt net zo goed. Als je er maar leuk uitzag en Luka zag er altijd leuk uit, vond hij zelf. Dure schoenen dan? Of ook een mobiele telefoon?
Zouden Laura en Cindy echt bij hem thuis komen met een lapje stof? Hij moest niet vergeten dat aan zijn moeder te

vertellen. Cindy vond hij wel een stoere meid, maar Laura was echt lief en leuk. Ergens was hij best gek op haar, maar ja, ze zag hem vast niet zitten. Hij werd immers altijd gepest, dus hij zou wel geen normale jongen zijn. Soms dacht hij dat zelf ook. Toch maakte de gedachte aan Laura hem wat vrolijker. Hij hoopte echt dat ze durfde komen en anders zou hij het haar nog een keer aanbieden.
Terwijl hij in de laatste brievenbus een pakje folders stopte, keek hij lachend om zich heen. Dit was Julians straat, maar Julian kon de pot op. Luka had hem niet nodig en wilde ook niet meer zo stoer zijn als hij. Hij zou alleen wel een beetje meer moed willen hebben. Dan zou hij vaker met Laura gaan praten of het voor haar opnemen. Dat was een ding dat zeker was.
Hij draaide zijn fiets om en wilde naar huis gaan, maar Julian kwam er weer aan. Hij trok aan de riem van de hond, maar Rob kwam nauwelijks vooruit. 'Rotbeest. Lopen!' riep Julian kwaad.
'Hij kan toch niet!' riep Luka nog kwader. 'Je doet hem pijn Hij moet naar de dierenarts!'
'Betaal jij die?' riep Julian kwaad uit.
Luka keek hem verbaasd aan. 'Ik?'
'Ja, mijn vader zegt dat het maar een dier is en aan dieren geeft hij geen geld uit. Rob kost al genoeg aan eten en drinken.'
'Dat meen je niet?'
'Hij wel, dus nou hou je je kop over die dierenarts, anders ga je er zelf maar heen.'
'Maar je hebt toch zakgeld?'
'Dat is voor mijn mobiel. Wat denk je dat al die sms'jes

kosten?'
'Zijn die belangrijker dan je hond? Jij kunt toch zelf wel naar de dierenarts gaan? Heb je geen geld in je spaarpot? Je doet altijd alsof jullie rijk zijn.' Luka begreep dit niet.
'We hebben ook geld zat, maar niet voor dieren.'
Kwaad wilde Julian van hem weglopen, maar hij kreeg de jankende hond niet mee. Hij bukte zich en tilde hem op. 'Kom maar, Robbie,' hoorde Luka hem zacht zeggen en dat verraste Luka. Hield hij dan toch wel van de hond? Verward keek hij hem na, maar toen schoot hem alles van die middag weer te binnen en het geld dat zijn moeder voor de folders had gekregen. Hij haastte zich naar huis.

**

De volgende dag, zaterdag, ging al vroeg de deurbel. Luka kwam juist de trap af en deed open. Verrast keek hij naar het meisje voor de deur. 'Laura!' riep hij blij uit.
Ze keek hem wat verlegen aan. 'Meende je dat wat je zei van dat bloesje?'
'Natuurlijk! Kom binnen. Ik heb het mijn moeder al verteld. Ze kan echt goed naaien, hoor.'
'Maar vindt ze dat niet gek? En moet ze er geen geld voor hebben?'
'Dat weet ik niet,' zei Luka. 'Kom nou binnen, dan gaan we dat gewoon vragen.'
Hij ging haar voor naar de huiskamer. Hij voelde zich plotseling zo blij. Laura was bij hem in huis! Het liefste meisje van de klas, al zou hij dat vermoedelijk nooit toegeven. Hij keek haar in elk geval wel stralend aan. 'Mijn moeder is in

de keuken. Kom maar.'
Ze volgde verlegen. Keek nieuwsgierig om zich heen, maar liet haar blik zakken, toen ze Luka's moeder zag.
'Hé, ben jij niet Laura?' zei Marte opgewekt.
'Ja, mevrouw.'
'Kom je met Luka spelen?'
Ze schudde ontkennend haar hoofd.
'Ach, nee, je hebt een lapje stof voor me,' herinnerde Marte zich opeens het verhaal van Luka. 'Zit het daarin?' Ze wees naar het zakje dat Laura in haar handen had.
'Ja.'
'Nou, laat eens zien, meid. Kom, laten we even naar de huiskamer gaan, dan kunnen we erbij gaan zitten.'
De kinderen volgden Marte en gingen aan de grote tafel zitten. Marte pakte het zakje aan en haalde de stof eruit. 'Dat is een leuk stofje. Leuke kleuren, leuk motief. Je hebt wel smaak, Laura!'
Het meisje bloosde.
'En wat wilde je ervan gemaakt hebben?'
'Kost het geld?' durfde ze nu toch te vragen.
Marte glimlachte. Ze wist dat Laura's ouders het ook niet breed hadden. Bovendien vond ze het leuk om te naaien en ze deed graag wat voor een ander. Vooral voor het meisje dat Luka zo leuk vond. Daarbij was het geweldig, dat de kinderen goedkope kleding opeens ook acceptabel vonden.
'Het ligt er een beetje aan wat je van me verwacht. Als het een ingewikkeld patroon is, waar ik uren mee bezig ben ... Heb je het voorbeeld bij je?'
'Ik heb het aan,' zei Laura. Ze stond op en trok haar jack uit.
'Wat leuk!' riep Marte spontaan uit. 'Dat hesje is ook prach-

tig, zeg! Wacht even.' Ze vloog overeind en verdween de kamer uit. Luka en Laura keken elkaar verbaasd aan.
'Wat gaat ze doen?' vroeg Laura.
Luka lachte. 'Geen idee, maar ze gaat je heus niet opeten, hoor. Je hoeft voor mijn moeder echt niet bang te zijn.'
Laura ontspande zich een beetje. Ze glimlachte voorzichtig. 'Het was best leuk, gisteren. Vond je niet? En Julian kreeg zo mooi op zijn kop.'
Luka grinnikte. 'Ja, hij snapte het eerst niet eens. Kreeg hij complimenten van de juf, omdat hij gemene plannen had. Ha! Maar ik vond het wel leuk dat zelfs Cindy de kleren van juf Sofia mooi vond. Goedkope kleren!'
'Heeft jouw moeder ook geen geld om dure kleren te kopen?' vroeg Laura opeens. Die vraag zat haar al maandenlang hoog. Nu had ze hem eindelijk gesteld.
'Nee,' zei Luka, 'want wij hebben vier kinderen en kinderen zijn duur, zegt mijn moeder.'
'Ik ben maar alleen,' zei Laura zacht, 'maar mijn moeder zegt dat dure kleren niet belangrijk zijn. Leuke kleren, daar gaat het om, zegt ze. We hebben niet veel geld, niet zo veel als bij Julian thuis bijvoorbeeld, maar mijn moeder zegt dat ze ook geen merkkleren zou kopen als ze het geld wel had.'
'Niet?' Luka keek wat verward.
'Nee, ze vindt dat jammer van het geld. Er zijn leuke kleren genoeg in de winkel die niet zo duur zijn en dan hou je geld over voor andere dingen, zegt ze altijd.'
Luka knikte. Opeens schoot hem de hond van Julian te binnen. 'Julians vader wil de dierenarts niet betalen. De hond loopt kreupel en heeft pijn, maar hij wil geen geld uitgeven aan dieren.'

‘Wat zielig, zeg, voor die hond,’ vond Laura.
‘Jij ziet er gaaf uit!’ Ze hadden het niet gemerkt, maar Meike was binnengekomen en stond Laura’s nieuwe kleren uitgebreid te bewonderen. ‘Waar heb je die vandaan?’
‘O, dat is een lang verhaal, maar je vindt ze leuk?’
‘Echt tof, zoiets wil ik ook wel.’
De deur naar de gang ging open en Marte kwam weer binnen. ‘Kijk eens wat ik nog gevonden heb!’ Trots legde ze een effen lapje stof op de tafel. ‘Ha, Meike, was je weer thuis?’
‘Ik kwam vragen of ik met Pien mee mag. Ze gaat met haar ouders naar de voetbalwedstrijd van haar broer kijken.’
Luka keek haar verontwaardigd aan. ‘Jij houdt niet eens van voetbal!’
Meike bloosde en Marte schudde onzichtbaar haar hoofd. Die broer van Pien was zeker een leuke jongen. Negen jaar en dan al achter de jongens aan. Maar gelukkig nog wel terwijl de ouders erbij waren. ‘Dat is goed, hoor, meisje. Veel plezier. Weet Carijn trouwens dat je weggaat?’
‘Carijn is op het speelveldje hierachter, maar ik zal het haar zeggen.’
‘Oké, veel plezier,’ zei Marte en wees toen naar het lapje dat ze net van boven gehaald had. ‘Kijk, Laura, in jouw lapje zit precies dezelfde kleur paars. Zie je dat? Als je het wilt, wil ik hier wel een bijpassend hesje van maken. Dan heb je nog zo’n setje.’
‘Echt waar?’ Laura keek haar blij aan.
‘Natuurlijk en volgens mij zijn het heel gemakkelijke patroontjes. Het handigste zou zijn als ik het bloesje en hesje even een dag mag lenen. Dan kan ik ze natekenen, begrijp je. Dus misschien kun je je thuis even omkleden en deze

kleren hier afleveren. Dan kom je ze morgenavond maar weer halen. Of kun je niet zo lang zonder je kleren?' vroeg ze snel, toen ze Laura's gezicht zag betrekken.
'Liever niet,' zei ze benepen.
Marte lachte. 'Dan weet ik wel wat anders. Kom, ga maar mee naar boven. Daar staan mijn naaispullen. Dan moet je je daar maar even uitkleden en wachten tot ik het nagetekend heb. Luka blijft dan zolang beneden. Dat wil je wel? Je bloesje uittrekken waar ik bij ben? Bovendien moet ik even precies je maat opnemen. Kijken hoe lang je armen zijn en je bovenlijf. Oké?'
Ze knikte en stond op.
Terwijl Marte en Laura boven waren, zat Luka in de huiskamer te wachten. Feiko wilde met hem spelen, maar daar was Luka nu te onrustig voor. Hij keek naar buiten en zag iemand voorbijfietsen, maar kon zo snel niet zien wie het was. Direct daarna ging de voordeurbel alweer. Hij stond op en opende de deur. 'Dag Cindy,' zei hij verrast.
'Hoi. Ik kom even een lapje stof brengen. Kan je moeder er een bloesje van maken, zoals jij gezegd had. Kan het morgen klaar zijn?' Ze drukte hem een zakje in de hand en wilde er weer vandoor gaan.
'Hé, zeg!' riep Luka. 'Wacht even.' Van tevoren had hij zich wel verheugd op het bezoek van beide meisjes. Hij had echt gehoopt dat ook Cindy zou komen, want ze was een van de stoerste meisjes uit de klas en deed zo vaak minachtend tegen hem, dat hij hoopte dat ze zou komen. Hij wilde best wat in haar achting stijgen, maar dit ging toch wel erg raar.
'Wat is er?' Ze draaide zich om en keek hem vanuit de hoogte aan.

'Mijn moeder is geen winkel. Ze doet het gratis en dan moet je maar zien wanneer het klaar is. Bovendien heeft ze al werk en ben jij pas als tweede aan de beurt.' Hij was ontzettend blij dat Laura als eerste gekomen was.
'Hoe bedoel je?'
'Laura is hier en mijn moeder neemt op dit moment haar maat op. Ik denk dat mijn moeder jouw maat ook moet weten, denk je niet?'
Ze aarzelde even, maar keek hem toen opnieuw hooghartig aan. 'Daar heb ik geen tijd voor. Mijn ouders wachten op me. Als jouw moeder zo goed is, heeft ze mijn maten niet nodig.'
'Wat doe jij raar, zeg!' riep Luka uit. 'Ze weet toch niet of je dik of dun bent of groot of klein.'
'Dan vertel jij haar dat maar. Jij weet precies hoe ik eruitzie, want ik zie je altijd naar mij gluren!'
Luka's gezicht liep rood aan, maar ze zag het al niet meer. Ze was op haar fiets gestapt en reed weg, de straat uit.
'Wie was dat?' Marte en Laura kwamen de trap weer af.
'Cindy. Ze wil ook zo'n bloesje, maar ze heeft geen tijd om de maat te laten nemen.'
'Tja, dan kan ik ook niet veel voor haar doen,' zei Marte.
'Ze wil dat het morgen af is,' vertelde Luka.
'Morgen?' Marte fronste haar wenkbrauwen. Wat een verschil tussen beide meisjes. Laura was verlegen en Cindy gaf gewoon opdrachten. 'Als ze weer voor de deur staat, zeg je maar niets. Dan haal je mij maar meteen,' zei Marte. 'Ik elk geval heb ik Laura's maten en een tekening van haar kleren. Ik heb best zin om nu al te beginnen, maar vanmiddag zijn er nog andere dingen te doen. Maandagmiddag, Laura.

Komt je dat uit? Kom maandagmiddag uit school maar met Luka mee, dan is het hesje ook af en kun je de kleren passen. Als het niet helemaal goed zit, verander ik dat nog. Is dat afgesproken?'
Laura knikte blij. 'Graag, mevrouw.'
'Willen jullie dan nu nog wat drinken?'
'Best wel.'
Marte ging naar de keuken en schonk twee glazen vol frisdrank. Ze bracht ze naar de kamer en zette ze op tafel neer. 'Dan ga ik nu weer naar de keuken, want ik was bezig om aardappels te schillen. Dag Laura. Tot maandag! Trouwens, Luka, over uiterlijk tien minuten moet je op je fiets zitten. Je hebt zo een voetbalwedstrijd, weet je nog?'
Luka was best blij dat zijn moeder hen alleen liet, maar hij wist eigenlijk niet wat hij tegen Laura moest zeggen. Hij had wel honderd vragen en hij wilde ook wel over voetbal vertellen, maar hij wist niet hoe hij de woorden moest vinden. Ook Laura zat met haar mond vol tanden. In stilte dronken ze hun glas leeg.
'Daar loopt Julian,' zei Laura opeens. Luka keek ook naar buiten en zag hem inderdaad aan de overkant van de straat lopen. Hij liep moeizaam en Luka rende naar het raam. 'Moet je zien hoe hij die hond meesleurt.'
'Soms klopt er niets van de wereld,' zei Laura. 'Julian heeft dure kleren en een grote hond. Ik heb geen van beide,' zei Laura.

**

Luka en Meike kwamen tegelijk weer thuis. Ze hadden al-

lebei een rood hoofd van opwinding, maar Marte vermoedde dat de soort van opwinding verschillend was geweest.
'Opa stond op het voetbalveld,' riep Luka meteen toen hij zijn moeder zag.
'Opa?'
'Ja, hij is nu oma aan het halen. Ze komen zo hier.'
Dat laatste wist Marte, maar dat haar vader op het voetbalveld had gestaan, was een grote verrassing. Vlak na Tons dood had hij dat een keer of drie, vier gedaan, maar aangezien hij het niet leuk vond, was hij er weer mee gestopt. Wat Marte erg jammer voor Luka had gevonden. Maar waarom stond hij er nu opeens wel weer?
'Ik zal maar snel thee gaan zetten,' zei ze. 'Heb je trouwens gewonnen vandaag?'
'Nee, het was gelijkspel. Jammer, maar toch in elk geval een punt.'
'En de broer van Pien?' vroeg Marte aan Meike, die meteen een nog roder hoofd kreeg.
'Eh ...?'
'Heeft hij gewonnen?' hielp Luka zijn moeder.
'Eh ...?'
Marte schoot in de lach en wist wat er aan de hand was. Meike had helemaal niet naar de voetbalwedstrijd gekeken. Alleen maar naar Piens broer.
'Ik weet het niet,' zei Meike. 'Hij heeft wel gescoord. Ik ga weer naar buiten.' Ze rende de kamer uit en Marte liep naar de keuken om thee te zetten.
Ze hoorde de achterdeur opengaan en zag haar ouders binnenkomen. 'Jullie zijn er al,' zei ze opgewekt. 'Pa, waarom stond u langs de lijn?'

'Kun je ons niet eerst begroeten?' vroeg moeder enigszins beledigd.
'Sorry.' Marte liep op haar ouders af en kuste hen. 'Gezellig dat jullie er zijn. Ga vast in de kamer zitten, de thee komt eraan.' Ze zag haar ouders natuurlijk elke week, als ze kwamen oppassen omdat ze naar pilates ging, maar dan spraken ze elkaar maar zelden. Vijf minuten voor die tijd en soms tien minuten achteraf. Vanmiddag zou het trouwens een spannend bezoek worden, al wisten zij daar nog niets vanaf. Maar Marte had een speciaal verzoek aan hen en daarom moesten ze weten dat Huib bestond. Ze had geen idee hoe ze daarop zouden reageren.
Met een blad vol dampende koppen liep ze de kamer in. Luka zat naast zijn opa en de twee mannen waren druk in gesprek over de wedstrijd die Luka zojuist gespeeld had. Opa keek glunderend op, toen Marte een kop thee voor hem neerzette. 'Luka is echt een grote jongen,' zei hij met enige trots in zijn stem. 'Hij is een prima achterhoedespeler.'
'Dat is hij al jaren. Waarom ging u vandaag opeens weer kijken?'
'Tja, hoe moet ik het zeggen zonder iemand te beledigen?' Hij haalde zijn schouders op. 'Ik ben gek op voetbal, maar dan moet er wel goed gespeeld worden. Toen Luka nog zo klein was ... Ik vond er niets aan om die kinderen achter de bal aan te zien hollen. Met zijn allen wierpen ze zich erop, zonder ook maar enige notie te hebben van de medespelers, waar ze stonden en naar wie ze het beste konden overspelen. Een rommeltje was het altijd. Maar vanmorgen dacht ik opeens: kom, laat ik nog eens gaan kijken. Misschien zijn ze wel veranderd. En dat was zo. Vooral Luka speelde heel

groots. Als een echte volwassen kerel! Ik ben trots op hem. Door zijn toedoen heeft de keeper drie doelpunten kunnen tegenhouden!'

'Waar is Feiko eigenlijk?' viel moeder midden in het gesprek over voetbal.

'Die ligt in bed, maar ik geloof dat ik hem hoorde. Ik zal hem ophalen,' zei Marte.

'In bed? Is hij ziek?'

'Ma, u weet toch dat hij soms zo druk is dat hij een middagdutje moet doen.'

'Toch klinkt het niet gezond. Wat zegt de dokter ervan?'

'Ma, hij mankeert niets. Hij is gewoon wat overactief op sommige momenten.' Marte liep naar de gang en ging de trap op. Ze hoorde dat haar moeder haar volgde en dat kwam goed uit. 'Ma, ik wil jullie straks graag even onder vier ogen spreken. Nou ja, zes,' voegde ze lachend toe, terwijl ze de slaapkamerdeur opende en Feiko rechtop in zijn ledikantje zag staan. 'Hallo, jongen, je was al wakker.'

'Oom, oom!' riep hij enthousiast, toen hij zijn grootmoeder ontdekte.

'Dag, jongen! Hoe is het met jou?' Ze tilde haar kleinzoon op. 'Jij wordt met de dag zwaarder,' bromde ze. Ze keek Marte ondertussen onderzoekend aan. 'Is er iets ernstigs wat je ons wilt vertellen?'

'Ach, het ligt er maar aan hoe je het bekijkt,' zei Marte geheimzinnig lachend.

'Oop!' riep Feiko.

'Ja, opa is beneden,' zei oma. 'Kom maar, jongen, of moet je eerst naar de wc?'

'Oop!' riep hij.

‘Hij moet wel eerst naar het toilet,’ zei Marte en pakte de jongen van haar moeder over. Ze liep met hem naar de badkamer en zette hem daar voor de wc-pot.
‘Er is toch niets met de kinderen?’ vroeg haar moeder, die ook de badkamer ingekomen was.
‘Nee, moeder, echt niet.’
‘Ik vind Luka anders wel wat witjes tegenwoordig.’
‘Daar was net niets van te zien. Hij had rode wangen van de opwinding.’
Haar moeder zweeg en daar was Marte blij om. Ze was een prima mens en ze hield ook veel van haar, maar ze had erg vaak aanmerkingen of zocht naar redenen om aanmerkingen te kunnen maken. Zo was ze altijd al geweest. Marte kende haar niet anders. Ze ging er maar van uit dat het allemaal goed bedoeld was. Ze hees Feiko’s broek op en nam hem op de arm. Hij was dan drie en kon klauteren als de beste, maar de trap vond ze nog steeds te gevaarlijk voor hem, helemaal als haar moeder in de buurt was die bij elke tree wel iets akeligs zou zeggen.
‘Oop!’ gilde Feiko zodra ze de huiskamer inkwamen. Hij wrikte zich los en Marte moest oppassen dat ze hem niet liet vallen. ‘Kleine druktemaker,’ zei ze en verdween naar de keuken om drinken voor haar jongste zoon in te schenken.
‘Wat hoor ik?’ vroeg haar vader, nadat Marte was gaan zitten en Feiko zijn beker had aangereikt. ‘Heeft Luka een folderwijk?’
‘Ja!’ reageerde ze enthousiast.
‘Is het dan zo erg gesteld hier?’ vroeg hij bezorgd.
‘Hoe bedoelt u?’
‘Dat hij geld moet bijverdienen.’

‘Ach, pa, helemaal niet, maar Luka zeurde voortdurend om nieuwe kleren en schoenen en dan bedoel ik merkkleding. Dat kan ik me echt niet veroorloven. Nu kan hij zijn eigen kleren verdienen.’
‘Een folderwijk?’ herhaalde haar moeder met grote ogen. ‘Schaam jij je dan nergens voor?’
‘Schamen? Ma, dat begrijp ik niet. Luka is dolgelukkig met het baantje. Het zijn maar een paar straten, hoor. Geen echte wijk.’
‘Maar iedereen ziet hem gaan.’
‘Nou en? Het is geen slavenarbeid.’
‘Dat bedoel ik ook niet, maar iedereen ziet dat hij voor jou moet werken.’
Marte zuchtte. ‘Ma, zo is het toch niet.’
Luka, die net nog zo enthousiast met opa in gesprek was, stond op. ‘Ik ga nog even naar buiten,’ zei hij. Hij hield er echt niet van als mensen boos tegen elkaar deden.
Meike en Carijn waren buiten, Feiko begreep nog niets van wat er gezegd werd. Dit was Martes kans. Ze schraapte haar keel. ‘Ik wilde jullie iets vertellen en ook iets vragen.’
‘O?’ Haar vader keek haar geïnteresseerd aan en hij zag dat ze bloosde. ‘Wat is er, meid?’
‘Ik eh ...’ Haar wangen werden nog roder, maar het hoge woord moest er nu uit. ‘Ik heb onlangs een leuke man ontmoet.’ Zo, nu kon ze niet meer terug.
‘Marte, toch!’ riep haar vader uit. ‘Wat leuk voor je!’
‘Leuk?’ riep haar moeder. ‘Hoezo leuk? Daar heb je toch helemaal geen tijd voor. Marte, je hebt vier kinderen. Je hebt geen tijd voor een man.’
‘Moeder, toen Ton nog leefde, had ik toch ook een man

naast de kinderen.'
'Dat was anders. Feiko was er toen nog niet en Ton woonde bij je thuis. Of eh ...?' Ze keek haar dochter met grote ogen aan. 'Hij komt hier toch niet bij inwonen?'
'Ma, natuurlijk, niet. Nog niet. Ik moet hem eerst beter leren kennen en dát gaat inderdaad wat moeilijk met kinderen thuis. Daarom wilde ik ook vragen of ik vanavond met hem uit kan gaan.'
'Vanavond? Maar dat kan toch niet. Je hebt bezoek.'
Marte keek naar haar handen in haar schoot, maar haar vader kwam haar te hulp. 'Ze heeft vanavond geen bezoek, ze heeft oppas. Wij zouden immers mee-eten en blijven. Andere plannen hadden we niet. Marte kan dus heel goed weggaan.'
Moeder schudde haar hoofd. 'Ik vind het maar niks.'
'Wat vindt u niks?' vroeg Marte.
'Dat je met een man omgaat. Hoe stel je je dat voor? Dat hij een vader voor de kinderen wordt? Dat lukt geen enkele man. Trouwens, welke man wil vier kinderen? Weet hij wel dat je er zo veel hebt? Je kunt het ze niet aandoen. Stel dat het niets wordt, hechten ze zich aan die man, verdwijnt hij weer. Net zoals Ton verdwenen is. Nee, Marte, d...'
'Ma,' onderbrak Marte haar moeder wild. 'Hoe kunt u dit met Ton vergelijken! En bovendien, hij wordt voorlopig helemaal niet hun vader. Ik wil hem eerst beter leren kennen, dan pas mag hij de kinderen leren kennen en zij hem en daarna zien we wel verder. Voorlopig gaat het erom of ik hem wil als vriend en daarvoor moet ik hem wel af en toe zonder de kinderen ontmoeten.'
'Dan ga je maar lekker uit vanavond, wij redden ons hier

prima,' zei haar vader. Hij lachte haar bemoedigend toe en zij lachte dankbaar terug.
'Kunnen wij nu elke dag komen opdraven omdat jij die man moet leren kennen?'
'Ma!' riep Marte wanhopig uit. Dat haar ouders het vreemd zouden vinden en niet meteen zouden staan juichen, had ze wel verwacht, maar dat haar moeder zo obstinaat zou doen, dat kwam als een complete verrassing. In stilte besloot ze hen niet meer te vragen. Had haar vriendin Heleen niet gezegd: als ik wat voor je kan doen, moet je het zeggen? Misschien wilde zij wel een avond oppassen.
'Je hebt er geen tijd voor en wij ook niet,' hoorde Marte haar moeder zeggen. 'Bovendien had je óns voor vanavond uitgenodigd en niet om op te passen.'
Marte stond op om de theepot te halen. Door het keukenraam zag ze Carijn aankomen lopen. Nu was het gesprek dus afgelopen. Misschien wel zo goed, want het verliep niet zoals ze gehoopt had. Er zat niets anders op dan Huib zo meteen te bellen en te zeggen dat ze vanavond niet met hem naar de film ging.

HOOFDSTUK 7

'Dus je mocht weg van je ouders?' vroeg Huib grinnikend, maar hij trok zijn wenkbrauwen op toen hij Martes gezicht zag. 'Wat? Mocht je eigenlijk niet?'
'Nee, mijn moeder was er behoorlijk op tegen. Belachelijk toch?'
'Ach, ze zal zich wel zorgen om je maken. Ze kent mij immers niet.'
'Dat was het niet, Huib. Het ging haar om de kinderen. Bovendien vond ze dat ik geen tijd had voor een man. Ik was druk zat. Gelukkig vond mijn vader het juist erg leuk voor me en die heeft me direct na het eten weggestuurd. Hij zei: alleen is maar alleen. Mijn moeder riep meteen dat ik nooit alleen was en dat ik maar moest wachten met een vent tot Feiko de deur uit was, maar pa vond dat ik iemand nodig had van mijn eigen leeftijd, een volwassene. Iemand met wie ik kan praten en voor wie ik niet verantwoordelijk ben..'
'Verstandige vader heb jij.'
'Van mijn schoonmoeder had ik zoiets wel verwacht, maar van mijn eigen moeder!'
'Je schoonmoeder?'
'Tons moeder. Ik zou het wel erg moeilijk vinden om het haar te vertellen. Net alsof ik verraad pleeg ten opzichte van Ton.'
'Vind je dat?'
'Nee, ik zelf niet. Ik heb er lang genoeg over nagedacht. Ik weet eigenlijk zelfs wel zeker dat Ton blij voor mij zou zijn als hij het wist, van jou. Maar zij ziet het misschien anders en dat zou ik haar niet eens kwalijk nemen ook, maar mijn

eigen moeder?'
'Heb je nog contact met je schoonmoeder?'
'Ja, niet veel, want ze woont aan de andere kant van het land, maar een paar keer per jaar komt ze een aantal dagen logeren. Het zijn natuurlijk haar kleinkinderen en ze is dol op hen. Bovendien is het ook nog steeds gewoon mijn schoonmoeder, al is Ton er niet meer.'
Huib knikte. 'Ja, daar had ik even niet bij nagedacht. Mijn schoonmoeder is nu mijn ex-schoonmoeder en die wil me ook niet meer zien. Ze staat helemaal achter mijn vrouw, dus die band is verbroken. Dat is ook goed. We zijn immers niets meer van elkaar, maar jij bent nog steeds haar schoondochter natuurlijk.'
Marte en Huib zaten samen koffie te drinken in het restaurant van de grote bioscoop, waar ze afgesproken hadden. Marte was op haar fiets gekomen en haar moeder had uitgeroepen: 'Komt hij je niet eens halen? Moet je door de donkere nacht fietsen? Nou, fatsoen zit er ook al niet bij bij die man.' Terwijl ze elke maandagavond op de fiets door het donker reed als ze naar pilates ging en dat wist haar moeder heel goed.
'Heb je al een film uitgezocht?' vroeg hij, terwijl hij haar hand streelde en haar vol warmte aankeek. 'Ik geloof dat er hier wel zes tegelijk draaien.'
Ze lachte. 'Ja, ik wil heel graag *Terug naar de kust* zien. Daar heb ik zo veel over gelezen toen die in première ging. Ik ga eigenlijk nooit naar de film, dus er zijn er genoeg die ik nog niet gezien heb, maar deze leek me meteen heel interessant.'
'Heb je het boek gelezen?' vroeg hij.

'Nee, ook niet. Ik lees eigenlijk nooit meer. Ik zou er wel tijd voor hebben, maar ik ben zo iemand die een boek in een ruk uit wil lezen en dat kan niet met zo veel kleine kinderen in huis. Vroeger, toen Ton nog leef...' Ze zuchtte. Ze wilde niet over Ton praten. 'Ik bedoel, toen spraken we weleens af dat ik een boek mocht uitlezen. Dan zorgde hij voor het eten en bleef ik heerlijk doorlezen. Dat kan nu niet meer. Maar die film lijkt me in elk geval erg goed.'
'Oké, ga ik daar even kaartjes voor halen. Wacht je hier?'
Het duurde vrij lang voor hij terugkwam. Marte besloot vast nieuwe koffie te halen. Hij wilde vast nog wel een kopje. Net toen ze met twee kopjes naar hun tafeltje liep, kwam hij er ook aan. 'Ik was precies op tijd. De film draait in de kleine zaal, omdat het inmiddels een oudere film is. Toch was er veel belangstelling voor. Hij was bijna uitverkocht, maar ik heb kaartjes!'
'Zeg,' zei Marte aarzelend. 'Je had gezegd ... Heb je foto's van Emiel bij je?'
'Ja, die heb ik meegenomen. Lief dat je eraan denkt.' Hij haalde een envelop uit zijn binnenzak en gaf hem haar.
'Nee, nee, laat jij ze maar aan me zien.'
'Oké.' Hij opende de envelop en haalde er een stapeltje foto's uit. Hij keek er even naar en stak er haar toen een toe. 'Hier is hij net geboren.'
'Och, wat een schatje!' riep Marte uit. 'Wat een lief knulletje.'
Huib lachte trots, maar Marte zag de diepte in zijn ogen, de diepte van het zwarte gat waar hij destijds in gevallen was.
'Hier is hij anderhalf. Zie je, hij kan lopen!'
Hij liet haar de ene na de andere foto zien. Toen hij haar de

laatste toestak, keek ze er verrast naar. 'Wat doet hij me aan Luka denken. Hetzelfde spitse gezicht en dezelfde tengere bouw.'
'Ja, dat vond ik ook. Leuk, dat het jou ook opvalt. Zeg, klopt het dat Luka volgende week zaterdag uit moet spelen?'
'Dat denk ik wel. Hij speelde vandaag thuis.'
'Oké, dan kom ik die dag kijken. Afgesproken?'
'Dat zal hij leuk vinden.' Ze vertelde over haar vader die ook was komen kijken en hoe Luka daarvan genoten had.
'We moeten gaan,' zei hij. 'De film begint bijna en we hebben geen gereserveerde plaatsen.'
Ze stonden op en hij sloeg een arm om haar heen, terwijl hij haar naar de uitgang van het restaurant duwde, door de drukte in de grote hal heen naar de deur waarachter hun film begon.
'Vooraan of achteraan?' vroeg hij.
'Liever achteraan dan vooraan,' vond ze. 'Dan heb je beter zicht op het hele doek. Of eh ...'
'Nee, ik heb nog prima ogen.' Hij lachte en greep haar hand, trok haar mee de trap op naast de rijen met stoelen en vond bijna achteraan in het midden van de rij twee lege stoelen naast elkaar. Ze gingen zitten. Marte legde haar jas onder haar stoel en keek genietend om zich heen. 'Dit is echt lang geleden. Wat leuk om hier weer eens te zijn,' zei ze blij.
Huib sloeg een arm om haar heen en drukte haar tegen zich aan. 'Ik vind het vooral zo fijn dat je de foto's van Emiel bekeken hebt. Het is net of je hem nu ook een beetje kent.'
Ze draaide haar gezicht naar hem toe en voelde opeens zijn lippen op de hare. Er ging een schok door haar heen. Het gevoel van zijn zachte, warme lippen was zo intens en zo

heerlijk, dat de vlammen haar plotseling uitsloegen.
Ze kon achteraf dan ook amper zeggen of het een goede film was geweest of niet. De hele film door had ze zich alleen maar warm en gelukkig gevoeld, want Huib liet haar niet meer los.

**

Toen ze weer thuiskwam, wilde haar moeder alles van hem weten, maar Marte had weinig zin om iets te vertellen. Het was al laat en bovendien voelde ze zich zo heerlijk, dat gevoel wilde ze niet laten bederven door haar moeder. 'Als ik hem beter ken, zal ik meer vertellen. Bedankt voor het oppassen en de afwas,' zei ze, want die stond niet meer op het aanrecht had ze gezien bij het binnenkomen.
Haar vader begreep de hint en kwam overeind, trok zijn vrouw mee naar de gang en kuste Marte op haar wang. 'Fijn weekend, meid en eh ... geniet ervan. Ik gun het je.' De laatste woorden fluisterde hij.
Marte glimlachte en schoof de gordijnen voor het raam een stukje opzij om naar hen te zwaaien. Daarna controleerde ze of alle deuren op slot waren en de thermostaat laag stond.
Jammer dat haar moeder zo gereageerd had. Hoe moest het nu verder? Ze had echt geen zin om haar, buiten de maandagavond om, nog een keer te vragen om op te passen. En de kinderen een hele avond alleen laten, dat kon beslist niet. Zou Heleen echt willen?
De volgende dag wilden Luka, Meike en Carijn precies weten wat ze gedaan had. Die hadden het zo vreemd gevonden dat hun moeder zomaar weg was gegaan. Oma had verteld

dat ze naar de film ging met een kennis, waarom mochten zij dat niet weten?
'Dat mochten jullie wel weten, maar ik dacht: ik zeg het niet, anders willen ze nog mee ook en jullie waren niet meegevraagd.'
'Maar wij willen ook wel een keer naar de film,' zei Carijn.
'Daarom juist!' zei Marte lachend. Ze voelde dat Luka haar bekeek en dat hij zag dat haar ogen glansden. Ze kon er niets aan doen, ze kon ze niet weer doffer maken. Huib maakte haar gewoon zo blij!
'We kunnen weleens een mooie film huren bij de videotheek,' stelde Marte voor. 'Lijkt je dat niet wat?'
'Hoi, joepie!' riep Carijn. 'Wanneer?'
'Als jullie vakantie hebben. Dan mag iedereen er eentje uitzoeken. Afgesproken?'
Ze juichten en gilden door elkaar heen. Ook Luka leek dit duidelijk een goed plan. Marte lachte. Wat was de wereld toch een stuk zonniger als je verliefd was. Verliefd? Even stond ze stil bij dat woord, maar natuurlijk was ze verliefd. Al vanaf de eerste blik in zijn ogen!
Op woensdag bracht ze heel terloops de voetbalwedstrijd van Luka ter sprake. 'Het leek je toch wel leuk als die meneer van die witte hond eens kwam kijken?'
Luka keek verrast op. Eigenlijk was hij hem alweer vergeten, maar hij knikte.
'Zal ik hem bellen of hij zaterdag kan?'
'Graag, mamma, maar zaterdag moeten we uit.'
'Dat geeft toch niets, had hij gezegd. Hij had toch een auto.'
'Wat voor eentje?'
'Geen idee, hoor. Hoezo?'

‘Als het een toffe auto is, mag hij me wel ophalen!’ zei Luka lachend en even voelde Marte de niet bedoelde steek onder water. Zij hadden geen auto meer sinds Ton er niet meer was. Marte had wel een rijbewijs maar ze had niet geweten waar ze de auto van moest betalen. Dus had ze hem verkocht. Het had nog een extra zakcentje opgeleverd. ‘Oké, ik bel hem vanavond.’
Luka wilde er beslist bij zijn als ze belde, dus wachtte ze niet tot hij in bed lag. Ze toetste het nummer in en opeens gaf ze hem de hoorn. ’Bel zelf maar! Dat kun je heel goed.’
‘Ik eh ... Hoe heet hij ook alweer?’
‘Huib Jacobsen, stond er op het kaartje.’
Met rode wangen wachtte hij tot Huib opnam.
‘Dag, hallo ... met Luka. Weet u nog, van zondag in het park. U zou een keer naar voetbal komen. Kan dat zaterdag? We moeten dan uit. Kunt u mij ook meenemen? Ik bedoel: wat voor auto hebt u?’
Huib schoot in de lach. Marte kon het op twee meter afstand horen.
‘Begin eens even opnieuw. Je moet zaterdag spelen?’
‘Ja, meneer.’
‘Zeg maar Huib tegen me, dat klinkt wat gezelliger als we samen uitgaan, nietwaar?’
Luka zweeg.
‘Oké, zaterdag en niet thuis dus.’
‘Nee, uit.’
‘Tegen wie?’
‘Eh ... Dat weet ik niet. Mijn rooster ligt op mijn kamer.’
‘Oké, dat komt dan later wel. En je wilde weten wat voor auto ik heb? Ik heb een Volvo.’

‘Een Volvo? Zo’n mooie bak?’
‘Nou, een bak is het niet. Het is een kleine Volvo, maar het is er wel een. Wil je dat ik je kom ophalen?’
Luka’s ogen begonnen te glunderen, maar hij zei niets.
‘Hallo, ben je er nog?’
‘Ik ... Ja ...’
‘Dus je wilt dat ik je kom ophalen. Weet je wat, geef me je moeder maar even. Dan spreek ik met haar wel een tijd af. Tenslotte moet zij het ook goedvinden dat ik je ophaal.’
‘Mamma, hij wil jou spreken.’ Luka stak haar de hoorn toe.
‘Dag, lieverd,’ zei hij warm in haar oor.
Ze draaide zich snel om zodat Luka niet zag hoe rood ze werd.
‘Ik wil hem met alle plezier ophalen, maar is dat niet wat vreemd? In zijn ogen ben ik een onbekende man en dan laat jij hem zomaar bij me instappen.’
‘Dat klopt, maar dat is oké.’
‘Dan doen we dat. Kan ik je vanavond nog even bellen?’
‘Graag.’
Ze verbraken de verbinding en Luka stond te wippen. ‘En? Mag het? Mag hij me ophalen met zijn auto?’
Marte glimlachte. ‘Luister, Luka, normaal gesproken zou dat niet mogen. Ik heb immers altijd gezegd dat je niet met vreemde mensen mee mag gaan. Maar omdat hij me zijn kaartje gegeven had, waarop staat dat hij op het stadhuis werkt, heb ik laatst naar het stadhuis gebeld,’ loog ze, maar ze wist niets anders te bedenken, ‘en toen heb ik een poos met hem gepraat. Dus zo vreemd is hij nu niet meer en daarom vind ik het goed.’ Luka sloeg zijn armen om haar nek. ‘Dank je, mamma. Ik vind het zo tof dat ik in een Volvo

mag!'
Het zou nog veel toffer worden, maar dat was een verrassing voor Luka, en voor zijn zusjes en zijn broertje.

**

Het duurde nog een kwartier voor Huib hem zou komen halen, maar Luka stond al voor het raam de straat in te turen. Hij had er zo'n zin in om in een auto te rijden. Dat gebeurde nooit meer! Ze gingen nooit meer naar de oma van pappa, want die woonde te ver weg en de trein was te duur. Naar opa en oma gingen ze altijd op de fiets. Ach, hij was stom. Hij grinnikte om zichzelf terwijl hij zijn neus tegen het raam aandrukte. Hij ging om de week met de auto. Van de voetbalkantine naar de kleedkamer van de tegenpartij. Als ze uit speelden. Maar dat was haast geen autorijden te noemen, dacht hij. De auto zat dan barstensvol en er was voor niemand plaats om te zitten. Soms zat er iemand boven op hem en had hij ook nog eens een tas in zijn nek. Er waren altijd te weinig ouders die wilden rijden, mopperde de trainer elke keer, en dus moesten ze persen om er allemaal in te kunnen. Daar. Was dat hem? Luka wist zeker dat dat een Volvo was. Wat een mooie! Hij leek wel splinternieuw. Hij kneep zijn ogen tot kiertjes om het beter te kunnen zien, maar hij herkende Huib pas toen die uitgestapt was. 'Mamma. Huib is er. Ik ga!' Hij nam niet eens fatsoenlijk afscheid van haar, maar rende naar de voordeur waar zijn sporttas al klaar stond.
'Hoi Huib,' riep hij enthousiast. 'Mooie kar, zeg.'
'Ja, tevreden?' lachte Huib. Hij stak zijn hand uit naar de jongen en Luka schudde hem.

'Ben je er klaar voor?'
'Al uren,' zei Marte lachend die achter Luka aan de gang in was gekomen.
'Hallo,' zei Huib en stak haar ook zijn hand toe.
'Kom nou,' zei Luka ongeduldig en liep vast langs Huib heen naar buiten.
Huib volgde hem grinnikend.
'Is ie nieuw?'
'Nee, ik heb hem vanmorgen speciaal even door de wasstraat gereden.'
'Voor mij?'
Huib lachte. 'Zal ik je tas achterin gooien? De deur is trouwens open.'
'Mag ik voorin?'
'Ja, hoor, als je de gordel maar omdoet.'
'Van pappa mocht ik noo...' Hij zweeg. Waarom kwam pappa nou opeens naar boven? Ja, hij wist het wel. Pappa had hem altijd naar de uitwedstrijden toe gebracht. Daarom moest hij aan hem denken. Even voelde hij zich triest.
'Volgens mij was je nog maar zeven toen je vader je naar de wedstrijden bracht,' zei Huib, die naast hem ging zitten. 'Kinderen van zeven mogen nog niet voorin.'
'O ja. Nu ben ik groot.' Hij lachte weer en keek naar het raam om te zien of zijn moeder er wel stond om naar hem te zwaaien. Zelf zwaaide hij alsof hij naar Amerika vertrok. Trots keek hij alle kanten op. Wat was dit machtig, zeg! Opeens schoot hem iets te binnen. 'Kunnen we ook die straat in?'
'Maar dat is niet de goede kant,' protesteerde Huib.
'Dat is mijn folderwijk,' zei hij trots. 'Ik heb een baantje.'

'Dat is leuk. Oké, gaan we die kant op. Welke straat doe jij?'
Luka wees de huizen aan, waar hij steeds een pakketje folders in de bussen deed. Ondertussen hoopte hij dat Julian op straat zou zijn. Wat zou die raar opkijken als hij hem in zo'n mooie auto zag. Hij ging zo ver mogelijk naar voren zitten om zo goed mogelijk te kijken. Ja, daar was hij. Hij stond voor zijn huis. Luka stak zijn hand op en zwaaide. 'Toeter eens,' zei hij tegen Huib.
Huib toeterde gehoorzaam.
Julian keek op, ontdekte Luka in de auto en draaide zich om. Ha, dacht Luka, hij kan het niet uitstaan dat ik in zo'n mooie kar zit.
'Is dat een vriendje van je?'
'Nee, niet echt. Dat is de grootste pestkop uit de klas.'
'Pestkop? Er zitten toch zeker geen pestkoppen bij jou in de klas?'
'Echt wel. Julian is de stoerste jongen uit de klas, maar hij pest ook heel graag.'
Luka's gezicht betrok nu, want hij dacht terug aan wat er de afgelopen week gebeurd was. Hij vond het zo zielig voor Laura. Ze was met haar nieuwe setje op school aangekomen. Het setje dat Luka's moeder gemaakt had. Cindy had het gezien en Luka wist zeker dat ze stikjaloers was, omdat het veel mooier was dan haar bloesje. Laura had gewoon een veel mooier stofje uitgekozen. En bovendien paste het precies. Dat van Cindy was wat te krap geworden. Eigen schuld, had hij gedacht. Had je de maat maar moeten laten opnemen. Cindy zag Laura, die blij met haar nieuwe outfit op school kwam en plotseling begon Cindy te lachen alsof ze niet meer bijkwam. 'Moet je kijken hoe zij erbij loopt. Geen

gezicht, toch!' En iedereen lachte mee. O, wat had Luka zich rot gevoeld. Wat een gemene streek van Cindy. En er was niets tegen te doen. Ja, hij was op Laura afgelopen en had gezegd dat ze er heel mooi uitzag, maar toen had Julian zich ermee bemoeid en hem ook uitgelachen. Hij zuchtte. Het leek zo leuk op school geworden na die juf Sofia, maar nu was alles weer net als eerst. Laura had 's middags andere kleren aangehad en haar nieuwe setje niet meer gedragen.
'Jongen, wat ben je stil,' zei Huib. 'Vertel eens wat over de tegenpartij van vandaag.'
Luka keek hem aan en opeens kon hij weer lachen. Hij zat in een prachtige auto en er zou iemand langs de lijn staan, alleen voor hem! Dit was een van de mooiste dagen uit zijn leven. Sinds pappa dood was, dacht hij erachteraan, maar hij zou niet verdrietig zijn. Vandaag zou hij alleen maar blij zijn.

**

Dat was de rest van de dag ook niet zo moeilijk, want na de wedstrijd en nadat Luka zich had gedoucht en omgekleed feliciteerde Huib hem met de overwinning. 'Je gaat zeker nog wat drinken in de kantine?'
'Nee, we hebben thee gehad in de kleedkamer. We gaan nu naar huis.'
'Oké, doen we dat, maar dan heb ik nog een voorstel.'
'O?' Luka keek hem nieuwsgierig aan.
'Ja, het is feest vandaag. Jij hebt gewonnen en ik ben jarig.'
'Jarig? Vandaag?'
'Inderdaad en daarom heb ik zin in een feestje. Jij ook?'

Luka glunderde.
'Mooi, dan gaan we nu naar jouw huis en halen je moeder, zusjes en broertje op en gaan we naar een pannenkoekenrestaurant.'
'Echt?' Zijn ogen werden zo groot als wagenwielen. 'Gaan we daar dan wat eten?'
'Ja, en ik trakteer, want ik ben jarig.'
'In een restaurant?'
Huib knikte en voelde even medelijden met de jongen. Zoiets deden ze natuurlijk nooit, want waar moest Marte dat van betalen. Misschien haalden ze weleens wat bij een snackbar, maar meer zou er wel niet af kunnen. En dat alleen maar omdat haar man was overleden en ze zelfs nog zwanger bleek tijdens de begrafenis. Het had haar niet mee gezeten in het leven en toch was ze telkens zo opgewekt. Hij wist nu al zeker dat hij voor de rest van zijn leven van haar zou houden. Ze was zo'n dappere vrouw. Het verwarmde hem iedere keer om haar te zien of te horen.
'Heeft mijn moeder die taart voor ú gemaakt?' Opeens begreep Luka het. Gisteren had het in huis zo heerlijk geroken naar gebakken cake. Maar hij mocht er niets van proeven, hij mocht er niet eens naar kijken.
'Heeft ze dat gedaan?' vroeg Huib lachend. 'Kan ze dat goed?'
'Mijn moeder bakt de lekkerste taarten van de wereld.'
'Nou, dan kunnen we maar beter bij jou thuis gaan eten in plaats van in dat pannenkoekenhuis.'
Huib zag Luka's gezicht betrekken en glimlachte. 'Ik zit je wat te plagen. Natuurlijk gaan we naar dat restaurant. Je moeder weet het ook al. Ze staat vast op ons te wachten. Ze

heeft me later nog opgebeld om de juiste vertrektijd door te geven en toen heb ik het haar verteld. Dat ik jarig ben en dat ik wel zin had om jullie te trakteren. Dus toen is zij stiekem een taart voor mij gaan bakken. Ha, nou weet ik dat alvast.'
Marte stond inderdaad al kant en klaar met Feiko op haar arm voor het raam te wachten. Meike en Carijn stonden voor het huis op de uitkijk. Ze konden zich niet herinneren wanneer ze ooit in een restaurant gegeten hadden. Dus ze zorgden er wel voor dat ze als eersten in de auto zaten.
Ze kwamen dan ook meteen op hen afgerend zodra Huib voor de stoeprand stilhield. Huib boog zich echter nog even naar Luka toe en legde zijn hand op Luka's arm. 'Jongen, ik heb ervan genoten om naar je wedstrijd te kijken. Dat was voor mij een leuk uitstapje. Bedankt. Maar nu is ons uitstapje voorbij, dus vanaf nu moet je achterin zitten en mag je moeder voorin.'
Luka knikte en stak spontaan zijn hand uit naar Huib. 'Bedankt, meneer. Het was zo cool!'
'Dat vond ik ook,' zei Huib grinnikend, 'en je mocht me Huib noemen, weet je nog?'
Hij stapte uit en liep om de auto heen, om de meisjes in te laten stappen. Luka haalde zijn sporttas uit de achterbak en gooide die nog snel het huis in. Daarna ging hij naast Meike zitten. Marte zette Feiko bij hem op schoot en Huib probeerde de gordel om hen samen vast te maken, maar dat kostte nogal wat moeite.
'Heb je goed gespeeld?' vroeg Marte.
'We hebben gewonnen, maar, mamma, Huib is jarig!'
'Dat weet ik, daarom gaan we hem ook zo meteen verrassen.'

'Hè?'
Huib stapte in, had het korte gesprek niet gehoord, keek Marte lachend aan, startte de auto en reed weg. Ruim een kwartier later waren ze bij het restaurant.
Een vrolijk meisje kwam hen tegemoet. 'Had u gereserveerd?' vroeg ze.
Huib knikte. 'Jacobsen.'
'Aha, dat weet ik. Daar achterin de hoek bij die ronde tafel.'
'Waar al die slingers hangen?' Hij keek haar fronsend aan.
'Ja, jullie hebben toch feest?'
Huib schudde zijn hoofd. 'Dat heb ik jullie helemaal niet verteld.'
Het meisje schoot in de lach. 'Zoiets hoeft u niet te vertellen. Zoiets weten wij.'
'O?'
'Kom,' zei Marte tegen de kinderen. 'We gaan zitten.'
Dat lieten ze zich geen tweede keer zeggen. Juichend renden ze op de ronde tafel af.
'We gaan zo zingen,' fluisterde Marte, 'maar daarna maken we geen herrie meer. Er zitten hier veel meer mensen te eten, die vinden het vast niet leuk als wij steeds gillen en keihard lachen. Duidelijk?'
Ze knikten. Huib en Luka gingen bij hen zitten. Voor Feiko werd een kinderstoel gebracht, want hij kwam nog steeds niet met zijn hoofd boven tafel uit als hij op een gewone stoel zat.
'Ik haal de kaarten voor u op,' zei het meisje.
'Nu,' zei Marte.
Meike en Carijn haalden diep adem en barstten toen uit in een luidkeels gezang. 'Er is er een jarig, hoera, hoera!' Mar-

te deed lachend mee en ook Luka zette in, want dit lied zong hij meerdere keren per jaar en kende hij uit zijn hoofd.
Feiko sloeg met zijn handjes op tafel en Huib zat met grote ogen van de een naar de ander te kijken.
Het meisje kwam terug, terwijl ze begonnen te zingen: 'Lang zal hij leven, lang zal hij leven,' en zette een gebakje met één kaarsje voor hem neer.
'Blazen!' riep Carijn, toen ze uitgezongen waren.
'Ogen dicht en wens doen,' vulde Meike aan.
Gehoorzaam sloot hij zijn ogen, haalde diep adem en deed zijn wens.
'Wat hebt u gewenst?' vroeg Luka.
'Ha, als ik dat vertel, komt het niet uit en ik wil juist wél dat het uitkomt,' zei Huib, maar hij keek Marte zo intens aan, dat hij haar op die manier wel zijn wens verried.

HOOFDSTUK 8

Zodra Marte het haar inmiddels bekende klopje op het raam hoorde, rende ze naar de voordeur. Stralend trok ze Huib naar binnen, de huiskamer in, om zo weinig mogelijk geluiden in de gang te maken. De kinderen sliepen en dat wilde ze graag zo houden. Ze keek hem aan en sloeg haar armen om hem heen, drukte zacht haar lippen op de zijne en trok toen haar hoofd iets achterover om hem goed aan te kunnen kijken. 'Alsnog gefeliciteerd met je verjaardag, lieverd. Ik had je zaterdag graag een zoen willen geven, maar dat durfde ik niet met de kinderen erbij. Althans, niet de zoen die ik in gedachten had.' Ze glimlachte en drukte opnieuw haar lippen op de zijne, haar handen gleden over zijn rug en ze trok hem stevig tegen haar eigen lichaam aan. Huib genoot van wat hij voelde en sloeg zijn armen om haar heen, hield haar net zo stevig vast. De zoen duurde vele minuten en toen hun lippen elkaar eindelijk loslieten, moesten ze allebei even bijkomen. Marte stond haast te trillen op haar benen, zo reageerde haar lichaam op zijn zoen, op zijn handen, op zijn lichaam, op zijn geur. Ze had het al die jaren nooit zo beseft, maar nu wist ze dat ze ook dit enorm gemist had. Niet alleen de gesprekken met een volwassene, niet alleen het kunnen overleggen met een ander, maar ook de aanrakingen, de liefkozingen had ze gemist. Ze legde haar hoofd tegen zijn borstkas en zuchtte zacht. 'Het is zo heerlijk met jou, je bent zo lief.'

Huib lachte en protesteerde. 'Dat is omdat jij zo lief bent. Dat werkt besmettelijk en daarom is het zo heerlijk.'

Marte kuste hem opnieuw, maar na een poosje stelde ze toch

voor om koffie te gaan drinken. 'Er komt straks een Engelse thriller op televisie. Die lijkt me wel wat.'
'Leuk, hou ik ook van!' zei hij enthousiast en hij liep vast op de bank af.
Marte haalde koffie en ging naast hem zitten. 'De kinderen hebben zaterdag zo genoten in het pannenkoekenrestaurant,' zei ze stralend. 'Ze raken er niet over uitgepraat. Vooral Luka en Meike hebben het haast over niets anders. Het was een geweldig idee. Nog heel erg bedankt.'
'Ik wil niet bedankt worden. Ik heb ook genoten. Ze waren zo schattig allemaal. Het was geweldig om jullie te trakteren.'
Marte lachte. 'Ja, als je ze zo verwent, zijn ze wel schattig, maar eh ... Huib, ik vond het ook lief van je dat je ons menukaarten liet brengen zonder prijzen erop en dat je niet de rekening aan tafel liet brengen, maar zelf ging betalen.'
'Dus daar heb ik toch wel goed aan gedaan? Ik vond dat nogal een moeilijk punt. Helemaal toen ik de rekening zag. Nee, laat me uitpraten.' Hij legde een vinger op Martes mond om te voorkomen dat ze hem zou onderbreken. 'De rekening was vrij hoog. Daar had ik van tevoren echt wel rekening mee gehouden, maar toch schrok ik van het bedrag. Vier kinderen en allemaal twee glaasjes drinken, dat tikte behoorlijk aan. Ik realiseerde me tijdens het betalen opeens dat jij misschien wel een week kon eten van wat ik betaalde. Ik realiseerde me ook dat jij je dit nooit kunt veroorloven, terwijl een pannenkoek op zich helemaal niet zo duur is. Ik schaamde me eigenlijk dat ik jullie meegenomen had. Ik had je misschien beter het geld kunnen geven?'
Ze pakte zijn vinger weg van haar mond en kuste die zacht-

jes. 'Nee, ik had het geld niet willen hebben. Natuurlijk weet ik zelf dat het duur is, maar gelukkig weet ik niet hoe duur, omdat ik de prijzen niet zag. Ook Luka weet niet wat zijn pannenkoek gekost heeft, en daar ben ik blij om. Hij werkt nu zo hard voor een nieuwe broek en dan eet hij bij wijze van spreken een week folderen in tien minuten op. Dat leek me moeilijk uit te leggen. Hij weet heus wel dat buiten de deur eten duur is. Hij haalt weleens patat voor ons. Dan zeg ik altijd dat het in een restaurant nog duurder is. Maar hoe duur? Nee, ik vind het prettig dat hij dat niet weet. Nu heeft hij gewoon voluit genoten en daar heb ik weer van genoten. En zeker, ik kan van alles doen met zo veel geld, want voor mij is het veel, maar je hebt ook gelijk dat ik me zoiets nooit kan permitteren en dus gaan we ook nooit naar een restaurant. Nu zijn ze wél geweest. En jij hebt van mijn kinderen genoten, maar ik heb misschien nog wel meer van hen genoten. Oké, het deed een beetje pijn dat ik ze het niet aan kon bieden, maar daar kon ik me gelukkig snel overheen zetten en daarna heb ik alleen maar genoten van die glunderende snoetjes, van hun plezier en enthousiasme. Huib, het was heerlijk. Dank je wel.'
Ze kusten elkaar nogmaals en hielden elkaar een moment stevig vast. 'Zie je,' fluisterde Huib, 'jij bent degene die lief is en dat niet alleen, je bent dapper en moedig. Ik heb grote bewondering voor je.'
'Hou op,' zei Marte lachend en pakte de afstandsbediening van de televisie om op teletekst te kijken hoe laat de thriller begon.
'En dat je van tevoren had opgebeld naar het restaurant en voor dat kaarsje en die slingers had gezorgd, dat vond ik ook

een schitterende verrassing.'
'Gelukkig maar. En heb je het verder gezellig gehad afgelopen weekend?'
'Ja, mijn moeder is blijven slapen en ik heb haar over jou verteld. Ze was teleurgesteld dat je er niet was, want ze vond het geweldig voor me. Dus de volgende keer dat ik jarig ben dan kom je gewoon bij me thuis zodat ik je aan mijn hele familie kan laten zien!'
'De volgende keer?' Ze herhaalde de woorden met een twinkeling in haar ogen. Wat klonk dat veelbelovend. Daarmee zei hij wat ze zelf voelde. Dat ze niet meer zonder elkaar wilden.
'Ja, de volgende keer,' zei hij grijnzend.
'Oké,' zei ze. 'Ik heb al oppas.'
'Hè? Wat bedoel je?' vroeg hij.
'Tja, mijn moeder is er toch niet zo enthousiast over dat ik jou ontmoet. Nou ja, het gaat natuurlijk niet persoonlijk om jou, meer om het idee. Maar mijn vriendin Heleen is juist heel erg enthousiast. Die vindt het geweldig voor mij en ze wil graag een avond oppassen. Ze is lerares op een basisschool en dus gewend met veel kinderen tegelijk om te gaan. Ze is erg gek op kinderen, al hebben zij en haar man helaas zelf nooit kinderen gekregen. In elk geval bood ze aan een avond te komen oppassen en ze zei ...' Marte bloosde.
'Wat?'
'Dat het niet uitmaakt hoe laat ik thuiskom, ze ging gewoon op de bank liggen slapen tot ik er was, maar ...'
'Ja?' Huib grijnsde om Martes gezicht. Ze zag eruit als een ondeugend schoolmeisje. Hij had even niet door waar ze naartoe wilde.

'Heleen zei dat ze het alleen wel wilde weten als ik de hele nacht niet thuiskwam, want dan ging ze niet op de bank liggen, maar kroop ze in mijn bed.'
'De hele nacht?' Huib pakte haar hand en keek haar aan. Marte zag dat die gedachte hem opwond, net als dat haar gedaan had en nog deed.
'Maar ik moet je teleurstellen,' voegde ze er snel aan toe.
'O?'
'Het klinkt heel verleidelijk en opwindend, maar ik zou me doodschamen naar mijn kinderen toe, want wat moet Heleen zeggen als zij in mijn bed ligt en niet ik? Of wat moeten we van tevoren zeggen, als ik het weet? Ik wil namelijk niet tegen mijn kinderen liegen en eigenlijk doe ik dat al een beetje door jou hier te ontvangen.'
'Jammer, dat je zo'n eerlijk typetje bent,' zei hij grijnzend. 'En gemeen ook. Zit me eerst lekker te maken en zegt dan snel nee.'
'Oké, zal ik het nog erger maken. Heleen zei ook dat ze best een weekend lang twee kinderen wilde hebben. Dus als ik een adres kan vinden voor de andere twee ...'
'Marte,' riep hij uit en trok haar tegen zich aan. 'Marte, meen je dat? Wil je dan een heel weekend met mij weg?'
Ze knikte hard met haar hoofd en liet haar vingers over zijn wang glijden. 'Heel graag!' riep ze uit.
'Hm, wat een heerlijk idee, maar eh ... dan lieg je toch ook tegen de kinderen?'
'Tegen de tijd dat ik nog een oppas gevonden heb, weten de kinderen vast al dat jij mijn vriend bent.'
'Ah, dus die liggen niet voor het opscheppen.' Hij glimlachte. 'Ik weet zeker dat mijn moeder het wel wil doen, maar

dat is natuurlijk erg raar. Ze kennen haar niet, maar voor de toekomst is dat wel een goede gedachte. Vier zal haar te veel zijn, maar twee wil ze beslist. Trouwens, ik moest je nog haar complimenten overbrengen. Ze had zelden zo'n heerlijke taart gegeten! En dat ben ik helemaal met haar eens! Zeg, wanneer begint die thriller? Ik wil het begin niet missen, want dan gebeurt het altijd en als ik niet weet wat er gebeurd is, is de rest ook niet meer interessant.'
Opnieuw keek Marte op teletekst. 'Het duurt nog een kwartier. Ik schenk nog een keer koffie in.'
Huib bleek er al klaar voor te zitten, toen ze de kamer weer inkwam. Hij had de televisie vast aangedaan en leunde behaaglijk achterover. 'In elk geval kunnen we binnenkort dus nog eens naar de film, als je dat wilt. Of uit eten of wat anders. Of eh ... ja, dat is misschien wel leuk, dat je bij mij thuis komt als Heleen een avond oppast.'
'Dat zou ik inderdaad het liefst willen,' zei Marte. 'Ik ben zo benieuwd hoe jij woont en hoe jij het ingericht hebt.'
'En hoe netjes en schoon het is?' vroeg hij grijnzend.
'Ook, ja. Aan de troep kun je vaak zien hoe een man in elkaar steekt.'
'Ha, nou, dan moet je maar niet al te snel komen. Geef me een week of vier, vijf de tijd.'
'Huib! Ik kan me echt niet van jou voorstellen dat je in zo'n troep woont dat je vier weken nodig hebt om het op te ruimen.'
'Nee?'
Ze schudde haar hoofd en bekeek hem uitgebreid. 'Je hebt altijd schone kleren aan, je overhemden zijn altijd gestreken, je ruikt altijd lekker, je hebt altijd je schoenen gepoetst of

geborsteld. Nee, dat geloof ik niet.'
'Oké, dan kom je maar eens onverwachts langs, kun je het zien. Trouwens, je zou ook wel een keer op een morgen kunnen komen als Feiko naar de crèche is. Maar dan moet je het wel van tevoren aankondigen, omdat ik dan een vrije dag moet nemen.' Hij lachte haar toe. 'Zeg, hoe gaat het nu eigenlijk op school? Is het pesten voorbij? Toen ik zaterdag met Luka door zijn folderwijkje reed en daar een jongen zag, kreeg ik de indruk dat het nog niet voorbij is.'
Martes gezicht betrok. 'Je hebt gelijk. Ik wilde je er niet mee lastigvallen, maar ...'
'Niet mee lastigvallen? Marte, kom op. Daar ben ik toch ook voor? Vertel.'
'Ja, het leek zo'n goed idee om die Sofia te sturen, de directeur stond er ook helemaal achter, maar het heeft niet opgeleverd wat we ervan verwachtten.' In het kort vertelde ze hem wat Luka haar verteld had. Over de nieuwe kleren van Laura, die er zo trots mee op school was gekomen en over Cindy die haar weer belachelijk had gemaakt. 'Ik vond het geweldig dat Luka het me durfde te vertellen. Dit keer ging het natuurlijk ook niet om hem, maar om het meisje dat hij zo leuk vindt, maar ik was diep teleurgesteld toen ik zijn droevige gezichtje zag. Misschien kun je Sofia nog eens vragen?' vroeg Marte.
Huib haalde zijn schouders op. Sofia was de vrouw van een collega van hem en omdat hij wist dat ze vroeger voor de klas had gestaan, maar tegenwoordig haar eigen kledingzaakje runde, was hij op dat idee gekomen. Een tweede keer? 'Zou dat resultaat hebben?'
'Misschien kan ze voorstellen dat de kinderen aan een mo-

dewedstrijd meedoen?' bedacht Marte opeens.
'Dat klinkt leuk, maar kunnen die kinderen naaien op een naaimachine?'
'Geen idee, maar ze hoeven het ook niet te naaien. Ze mogen het tekenen. Als prijs zouden ze dan hun kleren kunnen krijgen. Als Sofia ze op een patroon tekent en ik naai ze, dan hebben ze hun eigen kleren ontworpen en kunnen ze ze zelf dragen.'
'Hm, ik wil het er weleens over hebben met haar man, maar de kinderen waren zo enthousiast en het is toch mislukt.'
'Ja, die arme Laura. Cindy heeft de kleurencombinatie volledig afgekraakt.'
'Pure jaloezie,' stelde Huib vast. 'Alleen maar omdat Laura er leuker uitzag dan Cindy.'
'Precies, en Cindy behoort tot de populairdere kinderen en daarom heeft Laura afgedaan.'
'Het enige wat het wel heeft opgeleverd is dat Luka zich niet meer zo alleen voelt. Hij heeft nu een bondgenootje in Laura en volgens mij is hij daar stiekem heel blij mee.' Huib glimlachte, maar zijn ogen stonden ernstig.
Marte wist dat hij nu aan zijn zoon Emiel dacht, die immers even oud was geweest als Luka. Ze legde haar hand op de zijne en streelde hem. 'Klopt, maar het lijkt wel of het de hele klas tegen hen tweeën is. Vanmiddag had Luka een scheur in zijn jack, maar hij wilde niet vertellen hoe dat kwam.'
'Zou het helpen om nog eens met meneer Koopman te praten?' vroeg Huib zich af.
'Ik weet het niet. Ik heb er eigenlijk geen zin in. Hij was zo onaardig tegen mij.'

Huib knikte nadenkend en Marte legde haar hoofd op zijn schouder. 'Je bent echt lief zoals je met me meedenkt en zoals je naar me luistert.'
'Weet je wat? Ik bel die man wel. Ik zeg gewoon dat ik Luka's peetvader ben en dat ik wil weten wat er aan de hand is.'
'Echt? Maar dat hoef je niet te doen, Huib. Je bent ... Luka kent je amper.'
'Nou en? Ik doe het graag. Ik kan het niet hebben dat kinderen gepest worden en helemaal niet dat een leraar dat toelaat! Heb je zijn telefoonnummer?'
'Maar dan mis je het begin van de thriller.'
'Geeft niets. Luka is echt belangrijker en als ik iets kan doen ...'
Marte voelde zich warm worden en kwam overeind om het schoolgidsje te pakken. Ze zocht het nummer voor hem op.
'Ga jij nou maar televisie kijken, dan kun je me straks vertellen waar het over gaat. Ik ga wel even in de keuken zitten, mag dat? Dan stoor ik je niet.'
Marte keek hem glimlachend na en ging er eens goed voor zitten. Als de reclame voorbij was, zou de film beginnen. Ze voelde zich warm en gelukkig. Huib was echt een te gekke man. Zoals hij met haar en haar gezin meeleefde. Het werd tijd dat ze de kinderen vertelde dat hij niet alleen de man van het pannenkoekenrestaurant was, maar dat hij meer voor haar betekende. Zou ze hem binnenkort eens uitnodigen bij hen thuis te komen eten? Als een soort van tegenprestatie? Zo zou ze het kunnen brengen. Ze hoefden nog niet echt te weten wat zij voor hem voelde, maar ze vond dat ze hem moesten leren kennen. Ze hoefde dan ook niet meer te liegen als ze oppas voor hen vroeg, zoals die keer dat ze

naar de film ging en haar ouders opgepast hadden. 'Mamma was met een kennis naar de film,' had ze gezegd, terwijl ze zich diep schaamde voor haar leugen. Liegen mochten haar kinderen immers ook niet. Als ze hem beter kenden, kon ze gewoon eerlijk zeggen dat ze met hem uitging, bedacht ze.
Ondertussen had Huib het nummer van meneer Koopman ingetoetst en wachtte hij tot er opgenomen zou worden.
'Dag meneer Koopman, met de peetvader van Luka.'
'De wie?'
'De peetvader, een goede vriend van de familie dus.'
'Ik heb niet de behoefte met Luka's familie te praten. Zijn moeder is wel genoeg.'
'Een peetvader is iemand die zijn peetkind in de gaten houdt en ervoor zorgt als het nodig is en dat is nodig, meneer Koopman, omdat u dat niet doet.'
'Ik heb geen zin in dit gesprek,' hield meneer Koopman vol.
'Ook goed, dan ga ik naar de directeur.'
'Dat is nu ook weer niet nodig,' vond meneer Koopman.
'Niet?'
Meneer Koopman zuchtte en zweeg even.
'Nou?' hield Huib aan.
'Het was een drukke dag vandaag en dat kan ik niet goed meer hebben. Als ouders me dan ook nog privé beginnen te bellen, wordt het me eigenlijk te veel. Helemaal als ze niet eens de vader zijn!'
'Zoek dan een andere baan!' riep Huib uit.
'Op mijn leeftijd? Die krijg ik nooit meer.'
'Probeer dan op school wat te regelen. Dat u een andere taak krijgt of wat ontlasting! Uw gedrag gaat ten koste van de kinderen en dat kan gewoonweg niet.'

‘U hebt volkomen gelijk,’ zei meneer Koopman tot Huibs verrassing. ‘Het spijt me. Het spijt me elke avond dat ik weer niet alert en attent genoeg ben geweest. Het spijt me ook dat Luka weer gepest wordt en ik ben achteraf gezien heel blij dat zijn moeder ooit bij me op school kwam.’
‘Dus dat weet u nog wel, meneer Koopman?’
‘Natuurlijk weet ik dat! Maar zoals ik al zei, het is me te veel!’
Huib zei niets, maar wachtte af.
‘Ik dacht,’ ging meneer Koopman verder, ’dat die Sofia wel iets goeds had verricht, maar ik merk dat het toch niet echt tot hen doorgedrongen is.’
‘Precies! Daar bel ik voor.’
‘Het enige wat ik wel doe, dat is niet meteen weer de schuld op Luka schuiven. Ik onderzoek nu eerst wat er aan de hand is. Zoals vanmorgen.’
‘Wat was er vanmorgen?’ Huib klonk verrast, want hij wist nergens van. Marte had niets gezegd. Of wist zij het ook niet?
‘Heeft hij dat niet verteld?’
‘Ik weet het in elk geval niet.’
‘Pim had een gat in zijn broek. In zijn dure broek, zei hij. Hij was er ontzettend kwaad om en zei dat hij zo niet naar huis kon. Dus hij maakte veel kabaal en daarom ging ik kijken. Het was in de pauze op het schoolplein. Toen ik vroeg wat er was, zei niemand wat, ze draaiden allemaal hun hoofd om en keken in dezelfde richting. Daar zag ik Luka en Laura samen staan praten. Op die manier hadden ze me al zo vaak het idee gegeven dat Luka de schuldige was. Deze keer herhaalde ik mijn vraag en Pim zei mokkend dat hij hem om-

vergeduwd had. Opnieuw keken ze allemaal naar Luka, die zich, zo te zien, van geen kwaad bewust was. Dus ik hield vol en vroeg wíé hem geduwd had? Ten slotte zei Pim bijna onverstaanbaar "Luka".'
'Zo, en was dat ook zo?' vroeg Huib, die geconcentreerd had zitten luisteren.
'Ik heb Luka erbij geroepen en gevraagd of hij iets van dat gat wist. Iedereen zat te gniffelen. Ze rekenden er al op dat hij straf zou krijgen.'
'Straf? Zoals?'
'Nablijven, schoolplein vegen, dat soort dingen.'
Huib schrok. Hoe vaak had Luka dat al gedaan zonder er thuis iets over te zeggen? Wist Marte dit wel? Ze had het hem in elk geval nooit verteld. 'En?'
'Luka zei dat hij er niets vanaf wist en ik geloofde hem. Ik keek hem in zijn ogen en geloofde hem. Daarom heb ik Pim apart binnengeroepen en daar met hem gepraat. Het bleek dat Julian hem geduwd had, omdat Julian zijn broek niet mooi vond.'
'Verschrikkelijk, dat klerengedoe, je wordt er toch niet goed van!'
'Klopt. In elk geval heb ik deze keer eerst Luka gehoord voor ik straf gaf. Dat lijkt me al een hele verbetering en Julian en Pim hebben straf gekregen. Allebei, Pim omdat hij loog en Julian omdat hij geduwd had.'
Huib zuchtte. Deze man was echt op. Hij zou zo snel mogelijk moeten stoppen met dit beroep. Hij was er trots op dat hij Luka gehoord had! Hij vond dat flink van zichzelf, terwijl het natuurlijk gewoon een eerste vereiste was.
'Toch had Luka een winkelhaak in zijn jack toen hij thuis-

kwam. Enig idee hoe dat komt?'
Meneer Koopman zuchtte. 'Dat zal Julian wel gedaan hebben, uit wraak omdat hij straf kreeg en Luka niet.'
'Als u dat denkt dan moet u daar wat aan doen, vindt u ook niet? Ik heb trouwens het vermoeden dat hij de hele klas aanvoert en dat ze allemaal doen wat hij zegt.'
'Dat is waar, maar die jongen is zo hondsbrutaal en ik dring gewoon niet tot hem door. Hij is zo stoer, dat hij gepantserd is en wat ik ook zeg, hij voelt het niet.'
'Dus hebt u het opgegeven,' stelde Huib vast.
'Dat denk ik wel, ja.'
Huib schudde zijn hoofd. Het had weinig zin nog meer te zeggen. Hij moest misschien toch de directeur maar eens bellen, want Koopman leek echt niet meer op zijn plaats voor groep 8. 'Wat vindt u ervan als we een wedstrijd modeontwerpen organiseren?' In het kort legde hij uit wat Marte bedacht had, maar meneer Koopman wilde bedenktijd.
Ze verbraken de verbinding en toen Huib van de keuken naar de kamer wilde lopen, zag hij opeens Luka in de deuropening staan. 'Eh, hallo, Luka,' zei Huib aarzelend. Wat had de jongen van het gesprek gehoord? En wat zou hij ervan denken dat Huib naar de meester belde?
Marte had Luka niet gehoord, maar kwam geschrokken overeind. 'Luka, wat is er? Kun je niet slapen?'
'U hebt toch een hond?' vroeg hij aan Huib, zonder op zijn moeders vraag te reageren.
'Nee, die heb ik niet. Die was van de buren, weet je nog? Wat is er, Luka?'
De jongen keek zijn moeder met een droevige blik in de ogen aan. 'Mamma, weet je wat een bezoek aan de dieren-

arts kost?'
'Hè? Wat een rare vraag? Moet je daarvoor je bed uitkomen?' vroeg Marte.
Luka keek naar zijn blote voeten en mompelde: 'Ik wil het gewoon graag weten.'
Marte fronste haar voorhoofd. 'Ik weet het niet. Het ligt er denk ik aan waar het om gaat. Een paard zal wel duurder zijn dan een poes en een operatie is natuurlijk nog duurder. Waarom vraag je dat?'
'Zou veertig euro genoeg zijn?'
Marte keek Huib vragend aan. Daarom nam hij het gesprek van haar over. 'Luka, het ligt er echt aan wat de dierenarts moet doen. Als je hem alleen laat kijken en misschien een paar pillen meekrijgt, zou het wel genoeg kunnen zijn, maar als er geopereerd moet worden.'
'Dan?'
'Kan het wel honderd euro kosten.'
'Honderd?' Luka keek hem geschrokken aan, maar bedacht zich. 'En hoeveel is honderd gedeeld door vijftien?'
'Dat zou je inmiddels zelf moeten kunnen uitrekenen.'
'Toe nou? Ik kan 's nachts niet rekenen.'
'Luka, wat is er?' vroeg Marte.
'Hoeveel nou?'
'Ongeveer zes en een half,' zei Huib.
'Zes en een half. Min veertig. Dat duurt niet eens zo heel erg lang. Bedankt, hoor en welterusten.'
Huib en Marte keken hem volkomen verbaasd na. Vooral ook omdat hij niet eens vroeg wat Huib hier deed.

HOOFDSTUK 9

Het was zaterdagmiddag en Luka had ’s morgens gevoetbald. Nu was hij alleen naar de stad. Hij wist best dat zijn moeder dat niet zo leuk vond, maar hij had net zolang gezeurd tot ze het goedvond. Ha! Alleen naar de stad. Lekker rondneuzen en kijken wat er allemaal te koop was.
Thuis had hij eerst zijn geld geteld. Hij had in drieëneenhalve week al 59 euro bij elkaar gespaard. Zo veel geld had hij nog nooit bij elkaar gezien, laat staan zelf gehad! Hij had het geld niet meegenomen, want hij wilde er zuinig op zijn. Hij wilde zeker weten dat hij achter zijn beslissing stond als hij het eenmaal uitgaf, want hij was groot genoeg om te weten dat hij het maar een keer uit kon geven.
Langzaam liep hij door de grote winkelstraat, waar hij al vaak genoeg met zijn moeder geweest was. Hij wist ook best waar de winkels waren. Daarginds was de winkel waar ze heerlijke snoepjes verkochten, maar dat was jammer van zijn geld. Toch bleef hij voor de etalage staan en keek naar de grote lolly's en andere heerlijkheden die er uitgestald stonden. Hm, twee euro voor zo'n lolly. Dan hield hij er nog 57 over. Dat zou toch eigenlijk wel kunnen. Of niet?
Hij liep langzaam door en een paar winkels verderop viel zijn blik op een paar prachtige sportschoenen. Precies zulke schoenen als Julian had! Er stond geen prijskaartje bij. Jammer. Nu wist hij nog niet hoeveel ze kostten.
Hij keek op en zag dat de deur van de winkel wagenwijd openstond. Hij haalde eens diep adem en stapte toen naar binnen. Er kwam een jongeman op hem af. ‘Hallo. Kan ik je ergens mee helpen?’

Luka keek hem aan en vatte moed. 'Die schoenen in de etalage. Hoeveel kosten die?'
'Ik loop even met je mee, want er staan er zo veel. Welke bedoel je?'
Buiten gekomen wees Luka ze aan.
'Die zijn heel duur,' zei de man. 'Ze kosten 99 euro.'
'Zoveel?' Luka keek hem geschrokken aan.
'Ja, ik zei al dat die duur zijn. Bovendien denk ik niet eens dat we die in jouw maat hebben. Je hebt nog niet zulke heel grote voeten.'
Luka keek naar beneden. Nee, dat was waar. Julians voeten waren vast en zeker groter. Julian was ook langer.
'We hebben wel andere in jouw maat en die zijn ook goedkoper.'
Luka aarzelde.
'Wil je ze zien?'
'Zijn die van hetzelfde merk?'
'Nee, dat niet.'
'Dan hoeft het niet. Bedankt!'
Luka draaide zich om en liep door. Wat veel geld voor een paar schoenen. Dan maar eens bij de broeken kijken. Hij vond al snel een leuke spijkerbroek van 29 euro. Dan hield hij nog geld over! Het was alleen niet zo'n broek als Julian en Karsten hadden. En ook niet zo een als Pim had. Die hadden zo'n merkje achterop en dat zat hier niet op.
'Dag!' zei een meisje. 'Kan ik je helpen?'
'Ik wilde gewoon weten hoe duur broeken zijn.'
Ze lachte. 'We hebben zo veel soorten. Dit is de goedkoopste. 29 euro. We hebben ook broeken van 75 euro. Zoek je iets speciaals?'

‘Ik heb 59 euro,’ zei hij, ‘maar ik wil een echte merkbroek.’
‘Dan moet je toch echt die van 75 euro hebben. Loop maar even mee, dan kun je hem zien. We hebben er vast ook wel een in jouw maat.’
Luka liep mee, maar hij wist toch al dat hij hem niet kon kopen. Hij had immers niet genoeg geld.
‘Kijk, deze bedoel ik. Jij ook?’ Luka knikte enthousiast. ‘Ja!’ riep hij uit, maar zijn gezicht betrok. ‘Ik heb toch maar 59 euro!’
‘Dat weet ik wel, maar het is bijna uitverkoop en dan gaat deze broek ook in de aanbieding. Dat heb ik vanmorgen gehoord. Dan gaat hij 65 euro kosten. Het duurt nog een week en misschien heb je over een week wel 65 euro. Daarom laat ik hem je even zien. Wil je hem passen?’
Hij keek haar verbaasd aan. ‘Passen? Maar ik koop hem echt niet.’
‘Hé, mallerd, dat weet ik toch, maar het is niet druk in de winkel en je kunt gerust even passen. Dan weet je tenminste of hij je goed zit en waar je voor aan het sparen bent.’
Dat was waar. Stel je voor dat hij genoeg geld had en de broek zat niet lekker.
Ze gaf hem een broek. ‘Ik denk dat dit jouw maat is. Daarginds is een paskamertje.’
Luka voelde ineens opgewonden kriebels in zijn lijf opkomen. Hij ging een dure broek passen! Hij liep het kamertje in en trok het gordijn dicht. Daarna trok hij kleren uit.
‘Past ie?’ hoorde hij het meisje vragen.
‘Dat weet ik nog niet.’
Ze lachte. ‘Doe maar kalm aan, ik wacht hier op je, want ik wil ook zien of ie goed zit.’

Luka stapte in de broek en trok hem omhoog. Dus dit was een dure broek. Wat spannend. Hij deed de knopen dicht en trok de pijpen goed.
'Nou?' vroeg het meisje. 'Laat jezelf eens bekijken.'
Luka stapte het paskamertje uit. 'Hij zit je als gegoten!' lachte ze. 'Ik heb in een keer de goede maat voor je gepakt. Wat vind je ervan? Daar is een grote spiegel. Kijk maar even.'
Hij liep op de spiegel af. De broek kraakte wat. Hij zat stijfjes om zijn benen en echt lekker voelde hij niet eens. Hij keek. Hij draaide zich om en probeerde zichzelf van de achterkant te bekijken.
'Vind je hem mooi?' vroeg ze lachend.
Hij haalde zijn schouders op.
'Weet je het niet?'
'Ik had ...' begon hij, maar hij hield op.
'Vertel!' zei ze vrolijk.
'Ik had eigenlijk gedacht dat hij veel lekkerder zou zitten en veel mooier zou staan voor dat geld.'
Ze begon nog harder te lachen. 'Joh, dat is het stomme met die dure broeken. Vaak zitten goedkope broeken veel lekkerder, maar die dure zijn zo duur om de naam, meestal niet om de kwaliteit. Zal ik eens een goedkope broek voor je ophalen?'
'Nee, laat maar,' zei Luka wat beteuterd. 'Dus dure broeken zijn niet altijd beter?'
'Echt niet!'
'Wat stom, zeg!'
'Ja, dure broeken zijn in en daarom worden ze steeds duurder, maar de fabriek doet helemaal niet z'n best om ze ook beter te maken. Ik neem zelf ook altijd goedkope broeken.

Die zitten prima en dan hou je nog geld over voor wat anders.'
Luka keek haar ernstig aan. Hij knikte en draaide zich weer om. 'Ik ga hem uittrekken.'
'Prima. Denk er maar eens over na. Je weet het. Over een week wordt hij afgeprijsd.'
Niet veel later liep Luka weer door de winkelstraat. Hij voelde zich behoorlijk teleurgesteld. Hij had gedacht dat hij er fantastisch uit zou zien in zo'n dure broek, maar hij zag er net als anders uit. Waarom moest hij dan per se een dure broek hebben om bij Julian in de smaak te vallen?
Bij de slager zat een hond te janken. Luka bukte zich. 'Hoi, ben je helemaal alleen? Is je baasje in de winkel?' Zijn moeder had al duizend keer gezegd dat hij een hond die vastzat niet mocht aaien. Je wist nooit of het een valse hond was, maar deze hond zag er zo lief uit. Hij begon meteen zijn hand te likken en Luka streelde hem met de andere hand over de kop.
'Zo, zijn jullie vriendjes geworden?'
Luka keek op en zag een oudere vrouw staan. 'Kijk eens, Boef, ik heb een lekker plakje worst voor je.'
De hond slikte de worst zonder kauwen door en de vrouw lachte. 'Wat een schrokop, hè?'
Opeens schoot Luka iets te binnen. 'Mevrouw?'
'Ja, jongen, wat is er?'
'Bent u weleens met de hond bij de dierenarts geweest?'
'Natuurlijk! Boef is weleens ziek en dan moet hij naar de dokter, hoor.'
'Is dat duur?'
'Ach, wat is duur. Ik hou van mijn hond, dus dan mag hij ook

geld kosten.'
Dat vond Luka een mooi antwoord. Dat wilde hij onthouden.
'Maar gewoon een bezoekje, om de dokter te laten kijken, wat kost dat?'
'Tja, ik denk dat dat zo'n twintig euro kost. Met een paar pillen. Hoezo? Is jouw hond ziek?'
'Nee, ik heb geen hond, maar een jongen bij mij in de klas wel en hij mag van zijn vader niet naar de dierenarts.'
'En die hond is ziek?'
'Ja, hij loopt kreupel en heeft altijd pijn.'
'Goeie genade, jongen, dat is dierenmishandeling. Dat kun je tegen de politie zeggen.'
'De politie?' Luka had veel om over na te denken.
'Maar een operatie om die poot weer beter te maken, tja, dat kon weleens honderd euro gaan kosten. Of meer,' zei de vrouw peinzend.
'Dank u wel, mevrouw,' zei Luka. Hij draaide zich om en liep terug. Hij vond zijn fiets en diep in gedachten fietste hij weer naar huis.
Vreemd genoeg wist hij één ding zeker. Hij ging zijn zelf bij elkaar verdiende geld niet aan zo'n dure broek uitgeven. De broeken die zijn moeder voor hem kocht, waren goed genoeg. En die schoenen? Tja, precies dezelfde als Julian kon dus niet vanwege zijn te kleine voeten. Maar de hond. Zou hij de hond naar de dierenarts brengen? Daar had hij immers allang geld genoeg voor. Voor een bezoekje dan. Het was toch zo zielig voor het beest. De politie bellen? Dierenmishandeling? En als je van je hond houdt, mag hij ook wel wat kosten? Met een diepe frons op zijn voorhoofd kwam hij

weer thuis.
Zijn moeder vroeg hem hoe de voetbalwedstrijd was afgelopen en hoe het in de stad was geweest, maar Luka had geen zin om te praten. Hij moest alsmaar aan die dure broek denken, maar vooral aan de hond van Julian. Het was toch vreselijk dat dat dier pijn leed en Julians vader er het geld niet voor overhad.
Tot zijn verrassing zaten Meike en Carijn in de kamer aan tafel te tekenen. Meestal waren ze zaterdagmiddag weg. Meike speelde haast altijd bij Pien, maar het schoot hem te binnen dat Piens broer vandaag niet hoefde te voetballen. Zijn wedstrijd was afgelast. Hij grinnikte inwendig, en voelde zich meteen weer blij worden. Doordat hij wist dat Meike gek was op Piens broer, dacht hij zelf nu aan Laura, op wie híj zo gek was. Wat een stomme kinderen hadden ze toch in hun klas. Om haar uit te lachen en elke dag te pesten. Zelf was hij er wel aan gewend, al was het niet leuk dat hij nu een gat in zijn jack had. Gelukkig had zijn moeder dat heel netjes gemaakt en kon hij zijn jack deze winter nog wel aan, maar leuk was het niet. Want natuurlijk had Julian ook daar weer wat van gezegd en moest iedereen weer lachen.
'Huib komt straks,' onderbrak Meike zijn gedachten. Ze keek hem vrolijk aan. 'We maken een tekening voor hem.'
'Huib?'
'Dat duurt nog uren, hoor,' zei Marte vanuit de keuken. Hij zag niet dat ze hem onderzoekend bekeek en zich zorgen maakte, omdat hij weer zo stil was.
'Hij komt bij ons eten,' zei Carijn. 'Geen pannenkoeken, maar mamma maakt iets heel lekkers, zei ze.'
'O?'

Luka vond het best leuk dat Huib kwam. Hij mocht hem wel, maar hij kon er toch niet vrolijker door worden. Zou hij even gaan kijken hoe het met Julians hond was? Julian zou vast wel ergens op straat rondlopen, dat deed hij bijna altijd. Gisteren ook weer, toen hij de folders rondbracht, maar gisteren was de hond er niet bij geweest. Hij had nog gevraagd aan Julian hoe het met hem ging, maar die had als antwoord keihard tegen zijn moeders fiets getrapt. Op dat moment kon hem dat niets schelen. Hij wist dat er thuis geld op hem lag te wachten en dat maakte hem zo blij!
'Ik ga nog even naar buiten,' zei hij tegen zijn moeder en liep de voordeur uit, zodat hij niet langs haar heen hoefde in de keuken om te zeggen waar hij naartoe ging.
Het was misschien stom om Julian op te zoeken en hij had ook echt geen zin in een ontmoeting, maar hij vond het zo zielig voor de hond, dat hij Julians rotopmerkingen er wel voor overhad.
Hij zag hem echter nergens en slenterde wat moedeloos door de straten. Hij vond het leven maar knap moeilijk, en niet eerlijk ook. Julian had veel meer geld, maar hij mocht niet naar de dierenarts van zijn vader. Luka had niet eens meer een vader. Toch wist hij zeker dat hij wel naar de dierenarts had gemogen, als die hond van hem was geweest. Zelfs al zou het duur zijn, zijn moeder zou een dier niet zo veel pijn laten hebben.
Ongemerkt was hij in Laura's straat aangekomen. Hij schopte tegen een steentje en liep langzaam door.
'Hé, Luka!'
Hij keek verward op en zag Laura op de stoep staan. Hij voelde zich op slag weer blij. 'Hoi,' zei hij toch ietwat

verlegen.
'We gaan zo uit eten,' zei Laura opgetogen. 'In een echt restaurant.'
'Leuk voor je,' zei hij gemeend en even wilde hij vertellen van zijn bezoek aan het pannenkoekenrestaurant, maar Laura ging opgewekt door. 'Mijn oma is jarig en ze wilde geen drukte thuis. Daarom heeft ze ons uitgenodigd om te eten in een restaurant. We mogen zelf kiezen wat we gaan eten. Ze hebben er een buffet, zei mijn moeder. Daar staan allemaal lekkere dingen op en daar mag je van kiezen.'
'Een buffet?' Hij kende het woord niet, maar ja, hij had dan ook alleen maar ervaring met het pannenkoekenrestaurant.
'Dat klinkt heel lekker,' zei hij lachend en dacht opeens aan het eten dat zijn moeder op dit moment aan het maken was. Dat zou ook lekker worden.
'Ik heb mijn nieuwe kleren aan, kijk.' Laura trok haar jack open en Luka zag het bloesje en hesje dat zijn moeder gemaakt had. Hij voelde zich trots worden.
'Op school lachen ze me erom uit,' zei ze zacht, 'maar het zijn wél mijn mooiste kleren. Oma zal me vast erg mooi vinden!'
'Ze zijn ook mooi,' zei hij. 'Je ziet er heel leuk uit.' Oef, wat zei hij nou. Zou ze dat niet stom vinden? Waarom was het toch zo moeilijk om gewoon tegen iemand te zeggen dat je haar lief en leuk vond? Hij keek naar zijn schoenen en dacht opeens aan de schoenen in de winkel. 'Mijn voeten zijn te klein,' mompelde hij.
'Te klein?' Laura keek ook naar zijn voeten en begreep er niets van.
'Ja, die dure schoenen hebben ze niet in mijn maat.'

'Natuurlijk hebben ze dure schoenen in jouw maat. Die hebben ze in alle maten. Zelfs voor baby'tjes!' schoot het haar te binnen. 'Mijn tante heeft een baby gekregen en die had al dure sportschoentjes aan. Ik vond het echt stom, maar het was wel zo.'
Hij wist niet wat hij terug moest zeggen. Ze zou het vast stom vinden dat hij alleen maar naar de schoenen van Julian in de winkel gekeken had. Wilde hij dan per se dezelfde schoenen? Hij wilde toch ook niet net zo zijn als Julian? Hoewel ... een beetje wel dus. Hè, wat was alles toch lastig.
'Laura, kom je?'
'Ik moet gaan,' zei ze. 'Mijn moeder roept. Dag, hoor!'
'Veel plezier,' riep hij haar nog na, terwijl ze naar de auto liep, waar haar ouders al instapten. 'Eet smakelijk!'
Ze keek lachend om en zwaaide naar hem. Ze zag er zo lief en vrolijk uit, dat Luka ook alleen maar blij kon zijn. Enthousiast zwaaide hij terug en nog een keer toen de auto wegreed. Hij voelde dat hij nu wel naar huis kon en zijn moeders vragen beantwoorden.

**

Maar Marte stelde geen vragen. Met een verhit gezicht haalde ze een hete bakplaat uit de oven en zette die op het aanrecht. 'Luka, je bent precies op tijd om me te helpen.'
Hij keek haar vragend aan.
'Ik wil me nog omkleden voordat Huib komt. Wil jij ondertussen de tafel dekken? Wel een bord extra neerzetten, dus, omdat Huib ook mee-eet.'
'Omkleden?' Hij fronste zijn wenkbrauwen.

'Ach ...' Marte haalde lachend haar schouders op. 'Ik heb zo'n feestelijke maaltijd klaargemaakt. Ik vind dat ik er zelf ook een beetje feestelijk uit moet zien.'
'Wat eten we dan?'
'Het wordt een buffet. Weet je wat dat is?'
Hij keek haar verrast aan. 'Net als in een restaurant?'
'Ja, precies, en jullie mogen zelf kiezen wat je wilt eten.'
Hij trok meteen een keukenkastje open om het tafellaken eruit te halen. Wat leuk, zeg. Een buffet. Dan wist hij straks precies wat Laura te eten kreeg. 'We hebben gewonnen met voetbal,' zei hij opeens. 'En in de stad heb ik een dure broek gepast. Hij zat niet eens lekker!' Lachend liep hij naar de kamer, waar hij zijn zusjes dwong om te stoppen met tekenen.
'Ga maar met Feiko spelen, ik moet de tafel dekken.'
'Poeh, Feiko is veel te klein om mee te spelen,' mopperde Carijn.
'Hij maakt onze poppen kapot,' mopperde Meike met haar mee.
Het kon Luka allemaal niets schelen. Ze kregen een buffet. Hij was erg benieuwd wat dat zou zijn en hij had zin om Huib te vertellen dat ze alweer gewonnen hadden. Even keek hij nadenkend naar de tafel. Waar moest Huib eigenlijk zitten? De tafel was al vol met hun vijf borden. Toch drukte hij er nog een zesde bord tussen, legde rechts van elk bord een mes en links een vork. Alleen bij het bord van Feiko legde hij geen mes. Zouden ze ook soep krijgen? Of een toetje? Had hij lepels nodig? Hij wist het niet, maar Meike wist het duidelijk wel.
'Je bent nog niet klaar,' zei ze lachend. 'Je weet niet eens wat we te eten krijgen.'

‘Wel waar, buffet.’
Ze lachte hem uit. ‘Echt niet. We krijgen vlees en gehaktballetjes en gebakken vis en spaghetti en sla en rauwkost en bloemkool en kleine loempiaatjes en champignons, komkommer, augurkjes en soep en ijs toe, dus je bent nog lang niet klaar.’
Hij keek haar onderzoekend aan, maar ze leek te menen wat ze zei. Toen ging hem een lichtje op. Een buffet. Had Laura niet gezegd dat ze mocht kiezen wat ze lekker vond? En had zijn moeder net niet hetzelfde gezegd? Dus dat was een buffet. Van alles wat? Nou, daar had hij wel zin in. Hij was niet gek op bloemkool, maar dan nam hij toch lekker spaghetti. Daar lustte hij wel tien borden van! Vrolijk legde hij een lepel naast elk mes en aan de bovenkant van het bord kleine lepels voor het ijs. Tevreden bekeek hij de tafel. Ja, alles lag keurig recht, precies zoals zijn moeder dat graag wilde.
‘Dat heb je prachtig gedaan,’ zei Marte dan ook, toen ze in een blauwe jurk beneden kwam.
Luka keek haar bewonderend aan.
‘Vind je hem mooi? Die heb ik van de week genaaid,’ zei ze lachend. Ze liep naar de salontafel en pakte de houdertjes voor de waxinelichtjes. Ze deed er nieuwe kaarsjes in, zette ze midden op tafel en stak ze aan. ‘Ik zet het buffet in de keuken klaar,’ zei ze, ‘dus we hebben de ruimte midden op tafel verder niet nodig.’
Luka begreep het nog steeds niet helemaal, maar hij vond het wel heerlijk dat zijn moeder er zo vrolijk en mooi uitzag. Bijna weer als vroeger, dacht hij even. Toen was ze ook elke dag vrolijk en blij. Hij voelde zich helemaal warm vanbinnen. ‘Kan ik nog iets voor je doen, mamma?’

**

Maar 's avonds lag hij te huilen in bed. Het was zo gezellig geweest met Huib, zo leuk. Het was net of zijn vader er weer was. Huib was net zo lief en net zo aardig als pappa, maar hij was pappa niet. Hij had zelfs bloemen voor zijn moeder meegebracht, net als pappa gedaan had. Hij herinnerde het zich opeens weer. Maar Huib wás pappa niet. Pappa was dood en zou nooit meer terugkomen! Huib kon maar beter ook niet meer terugkomen, want hij wilde niet steeds aan zijn vader denken. Hij wilde hem niet steeds maar missen en dat gebeurde wel, als Huib bij hen aan tafel zat of langs de lijn op het voetbalveld stond. Huib was lief, maar hij zou hem niet lief gaan vinden. Hij hield van zijn vader!

HOOFDSTUK 10

'Dag allemaal. Ik ben juf Els. Meneer Koopman is ziek en ik kom hem vervangen.'
Er klonk een gejuich op uit de klas en Els keek onderzoekend de klas rond. Waren ze echt zo blij dat hun meester ziek was of was dit de normale reactie van kinderen, die weleens wat anders wilden? In elk geval was het duidelijk dat ze haar meteen begonnen uit te testen, want ze hielden niet meer op. Els zag een jongen opstaan en door de klas lopen. Een ander begon propjes te schieten met een elastiekje en weer een ander begon met zijn telefoon te spelen. Ze bleef een paar minuten rustig zitten wachten, maar de klas lette totaal niet meer op haar. Slechts een enkeling bleef kalm, maar de meeste kinderen waren met elkaar in gesprek, hadden plezier en maakten herrie.
Ze stond op en pakte demonstratief haar tas van de vloer. 'Ik denk,' zei ze met luide stem, 'dat ik in het verkeerde klaslokaal ben terechtgekomen. Ze hadden me verteld dat meester Koopman groep 8 had, maar ik geloof dat ik per ongeluk bij groep 1 naar binnen ben gestapt.' Ze maakte duidelijk aanstalten om te vertrekken.
Haar opmerking had echter resultaat. Ze vonden de belediging te groot. De meesten gingen zitten en keken haar nieuwsgierig aan.
Els keek naar de jongen die als eerste was opgestaan. 'Of?' vroeg ze hem. 'Is dit toch groep 8?'
Julian keek terug. Hij zei niets. Hun blikken ontmoetten elkaar en hij was niet van plan als eerste weg te kijken. Maar Els ook niet en zij was degene die won.

'Toch wel,' zei hij uiteindelijk en voelde zich afgaan, maar tegen haar kon hij niet op. Ze straalde iets uit, waartegen hij zich niet wist te verzetten. Ze had duidelijk macht over hem als ze dat wilde. Haar ogen zeiden genoeg.
Els ging weer zitten en had het vermoeden dat ze de populairste jongen van de klas meteen te pakken had en dat was natuurlijk prettig. Ze was normaal gesproken niet zo dominant, maar het voelde goed aan dat ze dit gewonnen had. Meneer Koopman had gezegd dat het een moeilijke klas was, hij was niet voor niets overspannen. Het zou haar moeite kosten de klas onder de duim te houden, had hij verteld. Misschien had ze in een keer succes? Ze hoopte het, want ze hield ervan om het gezellig te hebben in de klas. Ze hield van kinderen, maar wilde ze vooral iets leren en ze zeker niet voortdurend op de kop zitten. Ze ging weer zitten en keek opnieuw de hele klas rond. 'Ik ben dus juf Els. Hoe jullie allemaal heten, weet ik nog niet, maar daar kom ik wel achter. Het lijkt me leuk als we eerst eens met elkaar praten, zodat we elkaar wat beter leren kennen. Wat vinden jullie een leuk onderwerp om over te praten?'
Niemand zei iets, maar Els had ook niet anders verwacht. 'Ik heb een paar onderwerpen in gedachten. Jullie mogen er eentje uitkiezen. Huisdieren, mobiele telefoons, de regering, het milieu. Welk onderwerp wordt het?'
Nog steeds zei niemand iets. Het leek wel alsof de jongen, die voor de stoere jongen zat, iets wilde zeggen, maar hij durfde blijkbaar niet. Els keek de stoere jongen aan. 'Hoe heet jij?'
'Julian.'
'Julian, waar zou jij over willen praten en waarom?'

Julian ging er eens voor zitten. Hij vond het toch wel leuk dat hij als eerste gevraagd werd. Hij glunderde. Hij wist wel dat hij deze juf om zijn vingers kon winden, ze had in elk geval meteen door wie de populairste jongen van de klas was, hij dus! 'Niet over de regering. Mijn vader moppert er elke dag op, dat vind ik geen leuk onderwerp. Het milieu kan me gestolen worden. Wat kan mij het schelen of er straks nog ijsberen zijn. Mijn hond is ziek, dus blijft over: mobieltjes.'
Hij keek triomfantelijk om zich heen. Hij vond dat hij een prima antwoord had gegeven. De anderen lachten naar hem en dat gaf Julian een nog beter gevoel.
'We kunnen het ook combineren,' zei Els. 'Als je hond ziek is, kun je mooi met je mobiele telefoon de dierenarts bellen. Of niet soms?'
Luka ging rechtop zitten. Dit vond hij een goed antwoord. Het werd namelijk echt de hoogste tijd dat er iets met Julians hond ging gebeuren. 'Hij loopt al weken kreupel,' flapte Luka eruit.
'Al weken?' Els keek geschokt. 'Maar Julian, waarom heb je daar nog niets aan gedaan?'
Julian kreeg een rood hoofd, maar zijn blik bleef uit de hoogte. 'Mijn vader vindt dat we ons geld wel beter kunnen besteden.'
'Wat gemeen!' zei Laura spontaan.
Julian keek kwaad opzij. 'Hou je kop, ja. Koop jij eerst maar eens leuke kleren. Dan pas kun je meepraten.'
Els had in een klap door dat er een tweestrijd in de klas heerste. Dat er kinderen waren die gepest werden om hun kleren en dat er kinderen waren die wel de kleren hadden die zogenaamd de juiste waren.

‘Wat mankeert er aan haar kleren?’ vroeg Els. ‘Hoe heet je trouwens?’
‘Laura, juf.’
‘Oké. Wat mankeert er aan Laura’s kleren?’
‘Zeg, we zouden het over mobieltjes hebben,’ protesteerde Julian. ‘Ik mocht toch kiezen?’ Hij keek haar fel aan.
‘Julian, je hebt gelijk, maar een mobiele telefoon is een ding. Een hond is een dier. Een ding kan geen pijn lijden, een hond wel. Dat mag niet, weet je. Dat is verboden bij de wet. En weet je wat ook verboden is? Discriminatie.’
‘Discriwat?’ riep Julian perplex uit.
‘Als je dat woord nog niet kent, hoor je niet in groep 8 te zitten.’
Julian werd woest. Hij kwam overeind en keek haar woedend aan. Als blikken konden doden ... ‘U hebt hier niets te zeggen. U bent maar invalster. Ik ben de stoerste jongen uit de klas en iedereen wil dezelfde kleren als ik.’ Hij voelde zich enorm aangevallen en was als de dood dat hij af zou gaan.
‘Ga zitten,’ zei Els zacht.
Julian gehoorzaamde ogenblikkelijk.
‘Pakken jullie maar een papier. We gaan het anders doen. Schrijf de volgende twee woorden over van het bord en ga dan maar uitzoeken wat ze betekenen. Er liggen woordenboeken in de klas, maar misschien heb je die niet nodig en weet je het zo ook wel.’ Ze draaide zich om en schreef op het bord “discriminatie” en “tolerantie”.
De kinderen keken naar de woorden en toen naar Julian. Els begreep dat het van zijn reactie afhing of de anderen wat met de woorden gingen doen. Hij had het duidelijk goed

voor elkaar. Hij was de aanvoerder. Ze wilde hem dat niet afnemen. Ze wilde hem zeker niet echt af laten gaan, maar hij moest wel weten dat het leven uit meer bestond dan alleen maar de baas spelen over anderen en bepalen wie wel en wie niet de juiste kleren aanhad. Ze keek hem dwingend aan en opnieuw wist Julian dat hij zou verliezen.
Hij pakte een papier en schreef de woorden over. Els zuchtte inwendig van opluchting. Ze zag de andere kinderen ook pen en papier pakken. Luka begon een verhaal te schrijven. Een meisje haalde een woordenboek op. Sommigen begonnen met elkaar te praten, maar op gedempte toon.
Na een kwartier vroeg Els wie van de leerlingen wilde uitleggen wat de woorden betekenden. Een tiental kinderen stak hun vinger op. Julian niet. Ze zou hem dan ook met rust laten om hem een eventuele afgang te besparen. 'Jij. Hoe heet jij?'
'Karsten.'
'Karsten, wat is discriminatie?'
'Dat iemand er niet echt bij hoort als hij niet genoeg merkkleren heeft.'
Het antwoord deed Els pijn, want ze vermoedde dat het op hem zelf sloeg. Ze begreep niet dat meneer Koopman het zo ver had kunnen laten komen. Dat hij dat niet had opgemerkt. Of interesseerde het hem niet meer? Ze knikte. 'Dat is een goed antwoord. En tolerantie?'
'Dat je er wel bij mag horen, al heb je maar één merkbroek.'
'Je hebt het uitstekend verwoord. Kort maar krachtig. Zijn er kinderen die een ander antwoord hebben?'
Luka stak zijn vinger op.
'Hoe heet jij?'

'Luka. Ik vind het discriminatie dat een hond niet naar de dierenarts mag en een mens wel naar de dokter.'
'Bemoei je met je eigen zaken,' zei Julian kwaad. Hij gaf Luka een por in zijn rug.
Luka draaide zich net zo kwaad om. Door deze juf had hij moed gekregen. 'Het is dierenmishandeling,' zei hij luid. 'Als je van een dier houdt, mag het ook geld kosten.'
Els begreep dat dit op ruzie zou uitlopen.
'Luka, je hebt zelf al antwoord gegeven. Dit is geen discriminatie, maar dierenmishandeling.'
Julian begon weer te glunderen. 'Je hebt het fout,' siste hij.
'Laat ik het zo zeggen,' zei Els. 'Niemand kan meer geld uitgeven dan hij of zij heeft. Als je geen geld hebt om twee merkbroeken te kopen, is dat misschien jammer, maar het is zo. Daarom kan zo iemand nog best een leuke jongen of een leuk meisje zijn! Of iemand stoer of leuk is, heeft niets met kleren te maken. Verder weet ik uit eigen ervaring dat een bezoek aan de dierenarts duur kan zijn. Als daar geen geld voor is, is dat ook vreselijk jammer voor het dier, maar daar kun je iemand niet op aankijken. Tegenwoordig is alles zo duur, dat we tolerant moeten zijn – zelfs als iemand niet naar de dierenarts gaat.'
'Maar Julian heeft best geld,' riep Luka uit.
'Luka, Julian en zijn ouders mogen zelf weten waar ze hun geld aan uitgeven.'
Julian gaf Luka opnieuw een por. 'Hoor je dat?' zei hij stralend.
'En Julian, de ouders van Laura mogen ook zelf weten waar ze hun geld aan uitgeven. Dus jij hebt het recht niet om haar om haar kleren aan te vallen.'

Julians gezicht betrok. Hij werd gepakt op zijn eigen woorden. Daar had hij niet op gerekend. 'We zouden het over mobieltjes hebben,' zei hij nors.
'Je hebt gelijk,' zei Els. 'Laat die van jou eens zien. Wat voor merk heb je en wat kun je er allemaal mee doen?' Ze vond dat er nu wel genoeg gezegd was. De woorden moesten eerst maar eens doordringen. Ze zou deze klas een aantal weken hebben. Als het nodig was, kon ze hen nog genoeg wijzen op hun gedrag.
Julian was helemaal overdonderd door dit verzoek. Hij keek de juf verrast aan, haalde toen enthousiast zijn telefoon tevoorschijn. 'Ik vind het zelf ook wel erg dat ik niet naar de dierenarts mag,' zei hij zacht, 'want ik hou best van mijn hond en dit is mijn telefoon. Ik heb er zelfs internet op!' Hij hervond zich snel en liet het toestel stralend aan Els zien.

**

Vrijdagmiddag was Luka weer druk bezig met zijn folders. Hij voelde zich een stuk opgewekter dan de afgelopen weken. Het was al leuk dat Laura meer tegen hem durfde te zeggen op school – en hij tegen haar. Nu ze echter een nieuwe juf hadden, was het helemaal weer leuk op school. Ze lette heel goed op of er gepest werd en dat had ze haarfijn door. Zodra de stemming een beetje omsloeg, wist ze dat er weer iets gebeurd was. En steeds opnieuw had ze het over onderwerpen als discriminatie, tolerantie of over alle nieuwe maatregelen van de regering, waardoor veel gezinnen de broekriem aan moesten trekken, zoals ze dat genoemd had. Luka vond het heel interessant. Hij begreep nu ook opeens waarom ze thuis niet veel geld konden uitgeven aan extra dingen en hij had gemerkt dat er best meer kinderen bij hem in de klas waren met hetzelfde probleem. Alleen had nooit iemand dat hardop durven zeggen. Toch deed Julian nog steeds pogingen om stoer te zijn en de baas over iedereen te spelen, al waren meestal de scherpe kantjes er wat van af. Het was duidelijk dat hij begreep dat hij deze juf niet zo om zijn vingers kon winden als hij meneer Koopman had gedaan.

Luka had zich voorgenomen om zo meteen aan te bellen als hij bij Julians huis was. Hij had uiteindelijk besloten dat hij zijn geld aan hem zou aanbieden voor de hond. Luka had inmiddels zo'n medelijden met het dier. Het leek er wel op dat de hond minder pijn had tegenwoordig, maar lopen kon hij bijna helemaal niet meer.

Op de hoek van de straat zag hij Julian opeens staan. Met Rob, de hond. Luka liep direct op hem af. ‘Hoi,’ zei hij vrolijk. Hij bukte zich en aaide Rob over de kop. ‘Hoe is het?’ vroeg hij zacht.

‘Dacht je nou echt dat hij antwoord gaf,’ zei Julian smalend.

‘Nee, maar hij vindt het wel leuk als je vriendelijk tegen hem bent.’

‘Vertel mij wat. Nou, geef mij die folders voor mijn moeder, dat scheelt je weer een deur en rot verder maar op.’

Luka bleef echter staan. ‘Julian,’ zei hij moedig. Hij was erop voorbereid dat hij uitgelachen zou worden, maar dat had hij voor Rob wel over. ‘Ik heb nu al aardig wat geld verdiend met die folders.’

‘Mooi zo, dan kun je nu een mobiel gaan kopen.’

‘Die hoef ik niet. Ik wilde er wat anders mee doen.’

Julian keek hem opeens geïnteresseerd aan. 'Wat is er nou mooier dan een mobiel?'
'Een hond die niet kreupel is,' zei Luka plompverloren.
Julians ogen schoten vuur. 'Begin je weer? Je zou je er buiten houden. Het gaat jou niets aan hoe mijn ouders hun geld uitgeven.'
'En het gaat jou niets aan hoe ik mijn geld uitgeef,' zei Luka net zo venijnig terug. 'En ik wilde het voor Rob uitgeven aan de dierenarts.'
Julians mond viel open. Even wist hij niets terug te zeggen, maar toen werd hij zo boos, dat hij Luka een flinke duw gaf. Die viel met fiets en al om en kwam zo raar terecht, dat zijn hiel tussen de spaken zat.
'Denk je dat wij geld van jou aannemen? Wij hebben jouw geld heus niet nodig, hoor!'
Luka probeerde ondertussen overeind te komen, maar dat lukte niet echt. Het leek wel of zijn voet dubbel zat en het deed behoorlijk pijn.
'Help me eens,' zei hij smekend.
'Ha, dacht je dat nou echt! Stomme armoedzaaier! Jouw geld stinkt en dat hebben wij niet nodig!' Julian trok woest aan de lijn en sleurde de hond mee, die geen poot verzette, maar zich over de straat mee liet slepen. Luka zag het en kreeg tranen in zijn ogen. Hij wist niet zeker of het van zijn eigen pijn was of van de pijn die de hond moest hebben. 'Ik bedoel het goed, hoor!' riep Luka hem nog na, maar Julian draaide zich niet meer om.
Beteuterd krabbelde hij ten slotte toch overeind. Gelukkig was er niets stuk, al deed zijn voet goed pijn. Hij was al bijna klaar met de folders. Dat kleine stukje moest nog lukken.

Hij had erop gerekend dat hij uitgelachen zou worden, maar uitgescholden, dat kwam hard aan. Armoedzaaier, had Julian durven zeggen. Wat kon je eraan doen als je weinig geld had? Maar Julian was een dierenmishandelaar en dat deed hij zelf. Dat was Julians eigen schuld en daar was wél wat aan te doen. Hij dacht terug aan de oude vrouw in de stad. Hij kon de politie bellen, had ze gezegd. Luka voelde er veel voor om dat te doen!

**

'Wat is er met jou?' Marte keek haar zoon onderzoekend aan. 'Heb je pijn?'
'Ik ben gevallen, mijn voet doet zeer.'
'Hoe kan dat nou?'
'De fiets was te zwaar. Ik bedoel, ik ging te schuin door de bocht.'
Marte lachte. 'Nou ja, als er maar niets kapot is. Moet ik je voet even bekijken?'
'Die zal wel blauw zijn, verder niets. Zeg, mam, is er hier ook een dierenarts in de buurt?'
'Een dierenarts?'
'Ja.'
'Geen idee, Luka, maar je zou in de telefoongids kunnen kijken.' Ze begreep er niets van dat hij nu alweer over een dierenarts begon.
'Hoe werkt dat?' Maar Luka wachtte het antwoord niet af. Hij wist dat dat boek bij de telefoon lag en haalde het vast op. Zijn moeder was bezig het eten klaar te maken, dus hij moest zichzelf helpen. Toch liep hij met de gids weer terug

naar de keuken. Hij belde heus weleens iemand, maar die telefoonnummers stonden in de telefoon voorgeprogrammeerd. Zoals het nummer van oma en opa en andere oma. Maar uit een telefoonboek had hij nog nooit iemand gebeld.
'Kijk, hier bovenaan staan de plaatsnamen. Dus je moet eerst onze stad opzoeken en dan ga je bij de "d" naar "dierenarts" zoeken,' legde Marte uit.
'Oké.' Hij nam de gids mee naar de huiskamer. Het was misschien belachelijk, maar hij had besloten om toch niet de politie te bellen. Op school klikte hij ook nooit, anders had hij bijvoorbeeld nooit die strafregels hoeven schrijven. Dus buiten school zou hij dat ook niet doen. En als hij de politie belde, werd Julian misschien opgepakt en dat was niet de bedoeling. Tenslotte was Julian, ondanks alles, zijn klasgenoot en die verlinkte je niet.
'Lukt het?'
Luka knikte. 'Ik heb hier wel vier dierenartsen, maar ik weet niet welke bij ons in de buurt is.'
'Laat mij dan maar even kijken.' Marte boog zich over de gids. 'Die, die woont hier niet ver vandaan.' Ze legde hem uit waar de straat was en dat was inderdaad niet ver.
'Maar wat moet je daar? We hebben toch geen huisdieren of heb jij opeens last van luizen?' Marte lachte en haalde haar hand door Luka's haar. 'Grapje, hoor!' Maar ze keek hem vragend aan.
Luka wist geen goede smoes te bedenken en de waarheid wilde hij ook niet zeggen, want dan zou zijn moeder hem vast tegenhouden.
'Nou?'
Hij haalde zijn schouders op. 'De hond van Julian is ziek. Ik

wou gaan vragen wat dat kost,' zei hij. Daar was tenslotte geen woord van gelogen.
'Jij?'
'Ja, Julian mag niet naar de dierenarts met de hond, maar het wordt steeds erger. Nu kan hij helemaal niet meer lopen.'
'Dat is zielig, zeg. Help je me even de tafel te dekken? De dierenarts is nu toch dicht, denk ik. Het is al halfzes geweest. Hij moet ook eten!'
Marte haalde borden op en Luka pakte messen en vorken.
'Maar waarom moet jij vragen wat dat kost?' Ze begreep het nog niet.
'Omdat Julian dat niet doet.'
'Het gaat jou toch niets aan?'
Luka knikte, maar was het niet met haar eens, al wilde hij het daar nu niet over hebben, want dan zou hij zichzelf misschien verraden en dan ging zijn plan niet door. Hij liep gauw naar de keuken om de onderzetters voor de pannen op te halen. Gelukkig kwamen Meike en Carijn door de achterdeur naar binnen. Luka hoopte dat het onderwerp nu vergeten kon worden.
Zelf kon hij het echter niet vergeten en meteen na het eten trok hij zijn jack aan. 'Ik ga nog even buiten spelen.'
'Maak het niet te laat, Luka. Het is al donker!'
Luka zei niets meer. Hij was zenuwachtig en bang dat zijn moeder nog meer vragen zou gaan stellen. Snel ging hij naar buiten. Hij wist dat Julian na het eten nog vaak op straat rondzwierf. Meestal vergezeld van zijn hond. Dat wil zeggen, de hond lag ergens in een hoekje. Met de riem vastgemaakt aan een regenpijp of iets anders, zodat Julian zijn handen vrij had. Luka liep zo onopvallend mogelijk naar Ju-

lians straat. Zijn voet deed zeer, maar als hij aan Rob dacht, voelde hij het nauwelijks nog. Julian was nergens te zien. Verdraaid. Waarom nou? Luka had alle moed bij elkaar verzameld om actie te ondernemen, nu moest Julian wel meewerken!

Opeens zag hij de hond liggen. Verstopt onder een struik, vlak tegen een muurtje aan. Luka keek om zich heen, maar Julian was nergens te zien. Dit was zijn kans. Hij liep op het dier af, maar toen hij zich bukte, hoorde hij geschreeuw.

'Blijf met je poten van mijn hond af!'

Luka schrok. Waar kwam Julian zo snel vandaan? Hij bleef staan en draaide zich om.

'Wat moet je?'

Luka besloot open kaart te spelen. 'Hij moet naar de dierenarts. Ik heb het geld bij me.'

'Laat zien.'

Luka greep in zijn zak en haalde er een paar bankbiljetten uit. Julian greep het uit zijn handen en telde het. 'Zo, je hebt je best gedaan,' zei hij smalend. '75 euro. Niet mis. Nou, bedankt, daar koop ik een paar telefoonkaarten voor.' Hij stopte het geld in zijn binnenzak.

'Dief!' riep Luka. 'Gemene, smerige dief.'

Julian keek hem zwijgend aan, maar met zo'n minachtende blik in de ogen dat Luka het voelde in zijn hart. Waarom moest het toch altijd zo? Waarom kon Julian de baas over hem spelen en werd hij dan weer bang? Waarom toch? 'Geef terug dat geld,' zei hij zacht.

'Wat zeg je?' riep Julian spottend. 'Ik versta je niet.' Hij bukte zich en tilde de hond op. 'Jij blijft van mijn hond af, weet je. Het is mijn hond!'

'Natuurlijk is het jouw hond. Ik wil hem niet eens. Ik wil alleen maar dat hij goed behandeld wordt.'
'Daar heb jij niets mee te maken.'
'Wel waar!' riep Luka uit. 'Een hond kan zich niet verweren en daarom moeten mensen voor de dieren opkomen en dat doe ik. Ik betaal er toch zelf voor!'
'Heb je geld dan?' Julian moest zo hard lachen, dat hij bijna niet rechtop kon blijven staan met de grote hond in zijn armen. Opeens veranderde echter zijn gelaatsuitdrukking. 'Het is mijn hond!' siste hij. 'Ik zorg er zelf wel voor.' Hij draaide zich om en liep met grote passen weg. Luka rende achter hem aan, greep hem bij de arm. 'Mijn geld. Ik wil mijn geld terug!'
Julian draaide zich woest om en gaf Luka zo'n duw dat hij languit op de straat viel, waar hij een moment versuft bleef liggen. Julian lachte en liep, zeulend met Rob, verder.
Luka zag dat hij niet naar zijn eigen huis ging. Hij wilde hem het liefst volgen om te zien wat hij met Rob zou doen, maar hij voelde zich zo ellendig en zijn voet deed zo zeer. Met moeite strompelde hij terug naar huis, waar hij meteen zijn schoenen uittrok.
'Laat mij eens kijken,' zei Marte.
Tot hun beider schrik was de voet niet alleen blauw, maar ook ontzettend dik geworden.
'Dat betekent dat je morgen niet kunt voetballen, jongen. Je moet maar een poosje rustig met je voet omhoog op de bank gaan zitten.'

HOOFDSTUK 11

'Kom binnen, lief.' Stralend gooide Huib zijn voordeur wagenwijd voor Marte open. 'Welkom in mijn huis!' Hij trok haar naar zich toe en sloeg zijn armen om haar heen. Hij huiverde. 'Brr, wat ben je koud! Het lijkt wel of het buiten vriest!'
Marte lachte. 'Ik heb het juist snikheet.'
'O ja? Waarvan?'
'Van het harde fietsen en ... van dat ik hierheen ging.'
'Schat,' zei hij en kuste haar. 'Ik ben ook zo blij dat je hier bent. Ik hoop maar dat je het gezellig vindt in mijn huis.'
Hij hielp haar met haar jas en ging haar toen voor naar de huiskamer.
Marte bleef stil op de drempel staan. 'Lieve help,' riep ze uit. 'En dan vind jij het bij míj gezellig. Hier is het pas leuk.'
'Ja? Dus het kan ermee door?'
'Ermee door?' Ze liep naar binnen, rechtstreeks op de open haard af waar ze zich behaaglijk warmde. Ze rilde. 'Je had gelijk. Het is buiten koud, maar ik voel het nu pas.'
'Dan zal ik snel hete koffie voor je inschenken, word je vanbinnen ook warm.'
Ze keek hem na terwijl hij door de kamer liep en moest opnieuw constateren dat ze hem ontzettend graag mocht. Alles aan hem. Zelfs zijn manier van lopen!
Hij kwam binnen met een blaadje met koffie en gebakjes. 'Zelf gekocht,' zei hij lachend. 'Wil je voor het vuur zitten?'
'Best wel.' Ze liet zich zakken en ging op de dikke wollen vacht zitten die op de vloer lag. 'Sjonge, wat heb jij het leuk hier.' Ze keek de kamer eens rond. Er stonden verse bloe-

men, er brandden kaarsjes en alles zag er schoon en opgeruimd uit.
'Ik moet je een geheim verklappen,' zei hij terwijl hij naast haar kwam zitten.
'O?'
'Ja, je denkt me misschien te kennen, maar je weet nog steeds niet alles van mij.'
'Vertel op dan,' zei ze opgewekt, want ze zag aan zijn ogen dat het niet al te ernstig kon zijn.
'Ik heb een hulp in de huishouding en die houdt het hier schoon. Nadat ik bij jou thuis geweest ben, heb ik gevraagd of zij het niet wat gezelliger kon maken hier. En voor vanavond moest ze het extra gezellig maken. Zij heeft de bloemen en de kaarsjes gekocht en er lag een briefje toen ik thuiskwam, dat ik niet moest vergeten om de kaarsjes én de open haard aan te steken.'
'Aha, dus toch een vrouwenhand.'
'Ja, precies. Ik zie wel of iets gezellig is of niet, maar ik weet niet wat ik eraan moet doen. Ik had nog wat dozen op de vliering staan en daar vond ze mijn vrachtwagens van vroeger in. Ooit was ik gek op vrachtwagens en wilde ik per se vrachtwagenchauffeur worden.' Hij wees op een paar miniatuurtrucks met oplegger die op een bijzettafeltje stonden. 'Opeens zag de kamer er al een stuk leuker uit. Smaakt de koffie?'
Marte knikte. Haar blik viel op een grote foto. Dat ze die niet meteen gezien had bij het binnenkomen. 'Wat ziet Emiel er mooi uit op die foto. Het was beslist een geweldig joch.'
'Ja, dat was hij!' zei Huib met onverholen trots.
'Ik moet je trouwens de groeten doen van Meike en Carijn.'

'Dank je, doe maar terug. Niet van Luka?'
'Nee, die heeft niets gezegd. Hij keek me zo onderzoekend aan toen ik vertelde dat Heleen kwam oppassen, omdat ik bij jou op visite ging. Ik weet soms niet wat er in dat hoofd omgaat. Hij denkt veel en soms piekert hij ook volgens mij. Hij maakt zich ook zorgen om dingen buitenshuis. Volgens mij voelt hij zich rot doordat de hond van Julian kreupel loopt. Dat trekt hij zich aan. Over kreupel gesproken. Dat doet hij zelf ook. Dat is waar ook. Zijn voet is blauw en opgezwollen. Hij zegt dat hij gevallen is met mijn fiets. Ik weet het niet. In elk geval denk ik niet dat hij morgen kan voetballen.'
'Dat zou jammer zijn, want dat doet hij zo graag.'
'Ja, en Meike en Carijn zitten dus op gymnastiek. Die doen dat graag. Ze vroegen of ik je wilde vertellen dat ze binnenkort een uitvoering hebben.'
'Zeiden ze dat?' Huib lachte. 'En wat bedoelden ze daarmee?'
'Of je wilt komen, grapjas. Dat snap je toch wel.'
'Natuurlijk, ik wilde het alleen even zeker weten. Dat klinkt me als muziek in de oren.'
'Mij ook.' Marte straalde. 'Ze hebben het alsmaar over je, die meiden dan. Luka zegt niet veel meer sinds jij bij ons gegeten hebt. Ik weet het niet. Ik zal binnenkort eens met hem praten. Maar Meike en Carijn heb je veroverd, dat is een ding dat zeker is.'
'Nou jij nog,' zei hij ernstig.
'Wat?' Ze lachte. 'Ik was bij de eerste blik al gevallen, hoor!'
'Niet waar, ik hield je stevig vast.'
'Dat klopt, ja.'

Hij kuste haar en trok haar dicht tegen zich aan. Een poosje zaten ze stil naar de vlammen te kijken, terwijl hun handen een voorzichtige ontdekkingstocht uitvoerden.
'En je ouders?' vroeg hij zacht. 'Zijn die al wat bijgedraaid?'
'Mijn vader vindt het alleen maar fijn voor me. Hij vraagt af en toe hoe het tussen ons is en wie je bent, maar mijn moeder blijft nukkig. Pa zei dat het misschien komt, doordat ze bang is dat zij dan niet meer nodig is. Weet je, nadat Ton overleed zag ik het niet meer zitten. Toen is ma een grote steun voor me geweest. Ze kwam in het begin elke dag helpen met de kinderen en het huishouden. Tja, ik was ook nog zwanger, daardoor ging alles wat moeilijker. Nu komen ze elke maandagavond oppassen als ik naar cursus ga. Dat deden ze zelden toen Ton er nog was, want die was dan thuis. Pa denkt dat ma dus bang is dat ze me verliest.'
'Als dat het enige is, zal ze er wel aan gaan wennen, denk ik. Ze moet toch zien dat je opgewekter bent dan eerst. Althans, dat zei je zelf. Ik ken je niet anders dan met rode wangen en glanzende ogen.'
Ze lachte en kuste hem. 'Je bent zo lief, hè!'
'En oppassen kan je moeder nog vaak genoeg,' zei hij met een knipoog.

**

Heleen schoot meteen rechtop toen ze de achterdeur hoorde. 'Ben jij het, Marte?'
'Ja, hoor, wees maar gerust.' Marte kwam de huiskamer binnen en moest lachen om haar vriendin. 'Je was in slaap gevallen.'

'Klopt. Het was hier zo rustig toen de kinderen eenmaal in bed lagen en er was ook geen echtgenoot die tegen me praatte. Ik was heerlijk languit op de bank gaan liggen en na vijf minuten was ik weg. Geen idee of het boven rustig is geweest.'
'Zo, wat een oppas!'
'Marte, ga zitten en vertel. Hoe was het bij hem thuis.'
'Mooi, joh. Hij heeft erg mooie spullen. Alles ziet er heel wat duurder uit dan hier en hij heeft een open haard.'
'Lekker, vooral met deze kou.'
'Ja, hij wilde me naar huis brengen met de auto, vond het maar niks dat ik dat hele eind moest fietsen, maar zo ver is het helemaal niet en ik ben het gewend.'
'Toch lief dat hij zich zorgen maakt.'
Marte knikte.
'Wat is er, meid? Maak jij je ook zorgen?'
Marte haalde haar schouders op. 'Hij heeft het zo keurig voor elkaar, alles was zo netjes en heel. Ik heb twee kapotte tafelstoelen en onder dat kussen daar zit een gat in de bekleding van de bank.'
'En?'
'Ik dacht ... Ik dacht ... Weet je, als we zo doorgaan, dacht ik dat het niet anders kan dan dat we ooit samen zullen gaan wonen.'
'Ja, en?'
Opeens kreeg Marte een onbedaarlijke zin om te gaan huilen.
'Hé, meid, wat is er nou?' Heleen schoof naar haar toe en sloeg een arm om haar heen.
'Ik was zo gelukkig met hem,' snifte ze.

‘En nou niet meer?’
‘We passen niet bij elkaar. Snap dat dan,’ riep Marte. ‘Hij heeft alles zo mooi en duur. Daar past geen gezin met vier kinderen bij. Of we nu hier of bij hem of in een ander huis gaan wonen. Hij houdt van mooi en dat kan niet met ons.’
‘Marte, hou jij dan niet van mooi?’
‘Dat wel, maar toch ...’
‘Niks, maar toch. Hij heeft het gewoon veel ruimer dan jij. Hij heeft een goed inkomen. In elk geval een redelijk inkomen en hij is alleen. Hij zal vast geen alimentatie betalen. Zijn vrouw maakte hem immers uit voor moordenaar. Die wil geen cent van hem hebben en als ze dat wel wil, zou ik haar niet betalen als ik Huib was. Wat moet hij dan met zijn geld doen? Mooie spullen van kopen, toch? Dat zou jij ook doen als je meer geld had.’
‘Natuurlijk wel, maar ...’
‘Wat zegt hij hiervan?’ vroeg Heleen.
‘Dit heb ik niet tegen hem gezegd. Het was gewoon een heerlijke avond, maar toen ik naar huis fietste en weer aan zijn kamer dacht ...’
‘Lieverd, dit is helemaal niet iets om je zorgen over te maken. Dat is zijn probleem, als het al een probleem is. Je hebt hem vanaf het begin verteld dat je vier kinderen hebt. Hij heeft ze allemaal gezien. Hij heeft je huis gezien. En nog wil hij met je omgaan. Dus dit is geen probleem voor hem en dan moet het dat voor jou ook niet zijn.’
Marte knikte. ‘Zoals jij het zegt ...’
‘Maar zo is het toch ook?’
Marte zweeg een poosje. ‘Hij heeft ook gevraagd wanneer we een weekend met zijn tweeën weg kunnen.’

‘Zie je? Hij wil jullie relatie alleen maar verdiepen. Het is goed als jullie samen uitgaan, dat je hem wat langer ziet dan alleen een paar uur. Je kunt vreselijk op iemand afknappen als je hem een paar dagen achter elkaar ziet, dus dat moet je doen. Als je dan nog van hem houdt, zijn die mooie meubelen van hem helemaal geen punt. En eh ... Marte ... denk je ook niet dat hij liever een huis vol kinderen heeft die zijn meubels kapot maken dan helemaal geen kind?’
Marte keek haar vriendin aan. ‘Sorry, dat ik juist jou hiermee lastig val.’ Heleen had immers nooit kinderen kunnen krijgen. Dat ze dat niet op tijd beseft had.
‘Dat geeft niets. We zijn vriendinnen. Maar ik denk dat hij echt liever een gezellige kinderboel thuis heeft dan een keurig bankstel.’
Marte zuchtte. ‘Misschien is dat wel zo, ja.’
‘Nou dan?’
‘Hij vroeg ook of hij hier binnenkort weer kan komen eten en dan na het eten blijven, zodat hij kan helpen de kinderen in bed te stoppen.’
‘Zie je? Hij is nu al verknocht aan jouw grut en daar heeft hij gelijk in. Het zijn alle vier schatten, daar moet je wel gek op worden!’
Marte glimlachte en knikte. ‘Hoe was het trouwens met Luka’s voet?’
‘Die is nog erg dik. Dat moet je wel in de gaten houden, joh. Kom, ik ga. Kun jij gaan dromen van die droomman.’
Marte kwam ook overeind om haar vriendin uit te laten. ‘Bedankt voor vanavond. Voor het oppassen en het praten.’
‘Graag gedaan, hoor en laat me maar gauw weten wanneer jullie een weekend weggaan.’

**

Zaterdagmorgen stond Martes moeder opeens bij hen in de kamer. ‘Luka, wat doe jij hier?’ riep ze verbaasd uit. ‘Opa is naar het voetbalveld om je aan te moedigen.’
‘Ik kan niet voetballen,’ zei Luka met een sip gezicht. ‘Mijn voet doet zeer.’
‘Jammer dan dat je niet op handbal zit,’ zei oma en schoot om haar eigen grapje in de lach. Luka vond het niet zo grappig, maar probeerde dat niet te laten merken.
‘Marte, ik wilde je even onder vier ogen spreken.’
‘Dat is moeilijk overdag, ma, dat weet u.’
‘Als Luka nou even naar boven gaat. Van Feiko heb ik geen last.’
‘Luka moet zo min mogelijk lopen en Meike en Carijn kunnen ook zomaar thuiskomen. Die zijn niet echt weg, maar spelen ergens in de buurt.’
‘Dan gaan wij naar boven. Luka, let jij zolang op Feiko?’
Luka keek zijn oma verbaasd aan, maar knikte.
‘Kom op dan,’ zei moeder en pakte Marte bij de elleboog.
‘Is er iets ergs gebeurd?’ vroeg Marte nu toch geschrokken. Haar moeder was wel erg doortastend.
‘Nee, maar ik wil voorkomen dat er iets ergs gaat gebeuren.’
Boven liep Marte naar haar eigen slaapkamer en liet zich op het tweepersoonsbed vallen. Ze wees naar de enige stoel die de kamer rijk was en vroeg: ‘Wat is er?’
‘Je moet stoppen met die man, Marte. Daar kan niets goeds van komen.’
‘Ma? Waar slaat dat op?’ Marte ging rechtop zitten en keek

haar moeder met grote ogen aan.
'Je bent verantwoordelijk voor je kinderen. Die komen op de eerste plaats. Je kunt er geen vrijer op nahouden, Marte. Nu nog niet.'
Dit klonk zo belachelijk. Er een vrijer op nahouden. 'Ma, wat is er toch met u. In plaats van dat u blij voor me bent, doet u niets anders dan hem of ons afkraken. Waarom?'
'Dat zeg ik toch? Je hebt je handen vol aan je kinderen. Daar past geen man bij! Ik was trouwens ook van plan om je een ochtend in de week te komen helpen. Bedden verschonen of strijken, je zegt het maar.'
Nu viel Martes mond open. 'Waar slaat dit op? Is het niet netjes hier in huis? Is het stoffig? Verwaarloos ik de boel?'
'Dat niet, maar ik zie toch zelf hoe druk je bent. Het is ook veel. Vier kinderen en geen man, dus ik kom je helpen.'
Opeens moest Marte lachen. Ze kon er niets aan doen. 'Hoort u wat u zegt? Het is veel: vier kinderen en geen man. Nu wil ik een man, is het ook niet goed.'
'Dat is heel iets anders. Een vreemde man moet je aandacht geven, daar moet je mee naar de film.'
'Met een getrouwde man is dat net zo, ma. Die wil ook aandacht en ook weleens naar de film. Dan paste u altijd op, weet u nog? Gunt u het me dan niet om weer eens echt gelukkig te zijn?'
'Je was toch gelukkig met je kinderen?'
'Ma!' Marte voelde dat ze boos begon te worden. 'Hou op met deze onzin. Natuurlijk was en ben ik gelukkig met mijn kinderen, maar ik voelde me soms wel erg alleen. Eerst miste ik Ton vreselijk, maar toen ik eenmaal geaccepteerd had dat hij nooit meer terugkwam, miste ik de aanwezigheid

van een andere volwassene, nee, van een man. Iemand die zijn arm om me heen slaat, iemand die naar me luistert, me troost als ik verdrietig ben. Ik weet best dat u dat ook wilt doen, maar met een man is het anders, warmer. Ik zou u ook vreselijk missen als u er niet meer zou zijn – ik moet er niet aan denken! – maar ik mis nu de warmte van een man die bij me hoort. Ik vind dat u me dat moet gunnen en als u dat niet kunt, is dat jammer, maar ik stop niet met Huib om u. Hij is een schat, dat zult u meteen toegeven als u hem ziet.'
Marte kwam overeind. Ze moest even uitpuffen van die lange volzinnen. Ze keek haar moeder aan: 'En ik wil niet dat u hier elke week komt schoonmaken. Als ik het niet meer aankan, zeg ik het wel. Natuurlijk mag u best wat vaker een kop koffie komen drinken 's morgens. Ik hoor de meisjes.'
Zonder een reactie af te wachten verliet ze de slaapkamer en ging ze de trap af naar haar dochters.

**

's Middags besloot ze haar schoonmoeder te bellen. Die moest het nu ook maar weten. Vooral omdat haar eigen moeder er zo op tegen was. Wie weet belde haar moeder haar schoonmoeder wel op en dan hoorde ze het van haar en niet op een positieve manier. Ze vond het moeilijk om het te vertellen, maar het moest er nu maar van komen.
Feiko lag in bed, Meike en Carijn waren buiten en Luka lag op de bank naar de televisie te kijken. Ze nam de telefoon mee naar de keuken en trok de deur dicht.
'Moeder? Met Marte.'
'Meid, wat leuk dat je belt. Hoe is het bij jullie?'

'Prima, hoewel Luka op de bank ligt met een dikke voet, maar dat knapt alweer wat op.'
'Wat is er gebeurd?'
'Hij zegt dat hij gevallen is.'
'Zegt?'
'Tja ... Ik weet het niet zeker. Ik ben erachter gekomen dat hij vaak gepest wordt op school. Laatst was zijn jack stuk. Ik weet het niet, maar hij wil er niet over praten.'
'Doorzetten, hoor. Het is vreselijk als je gepest wordt. Daar kunnen kinderen de rest van hun leven last van blijven houden. Je moet zorgen dat het ophoudt!'
'Ik heb er al van alles aan gedaan. Gelukkig heeft hij nu een nieuwe juf. Zijn leraar zit overspannen thuis, althans, zo noemen ze dat. Ik denk dat hij ook niet meer terugkomt.'
'En de meisjes?'
'Die vermaken zich wel. Ik geloof dat Meike verliefd is.'
'Nee, toch! Wat schattig.'
'Dat vind ik ook, maar ook daarover valt niet te praten.' Marte lachte hardop.
'Dat lijkt me logisch. Zoiets is zo pril, dat wil je voor jezelf houden. En mijn kleine jongen?'
'Met Feiko gaat het fantastisch. Hij vindt het steeds leuker op de speelzaal. Die kan straks wel naar de basisschool.'
'Dan zal hij toch echt beter moeten leren praten,' vond haar schoonmoeder.
'Dat is waar, maar ik vermoed dat het dan vanzelf wel lukt. Ik denk dat hij het allang kan, maar er gewoon de moeite niet voor neemt.' Marte glimlachte. 'Moeder, ik wilde u iets vertellen.'
'Ja?'

Marte haalde diep adem. 'Ik heb een leuke man ontmoet,' zei ze zacht.
'Een leuke man?' herhaalde Tons moeder met een kreet. 'Wat leuk voor je! Marte, dat vind ik heerlijk om te horen!'
Marte voelde haar oren klapperen. Deze reactie had ze dus echt niet verwacht. 'Meent u dat?'
'Natuurlijk meen ik dat. Je bent nog veel te jong om alleen te zijn. Dit vind ik echt fijn voor je. Dacht je van niet?'
Marte haalde haar schouders op. 'Ik dacht ... Tja ...'
'Marte, natuurlijk ben je de vrouw van Ton en voor mij zul je dat altijd blijven, maar Ton is er niet meer en jij moet verder. Wat is er dan mooier om iemand te vinden die met je verder wil. Ik weet echt wel dat je Ton nooit zult vergeten en altijd van hem zult blijven houden, maar ondertussen ben je wel alleen. Nee, meid, dit gun ik je van harte. Ik ben echt blij om dit te horen.'
'Dank u. Dat doet me goed. Echt lief dat u zo reageert.'
'Onzin, het is gewoon zo. Ik weet ook dat je de kinderen altijd over Ton zult blijven vertellen, omdat hij hun echte vader is. Wat vindt die man er eigenlijk van dat je vier kinderen hebt? Vindt hij dat niet wat veel? Heeft hij zelf kinderen?'
'Huib heeft een zoon gehad, die is overleden toen hij elf was, maar hij heeft altijd veel kinderen willen hebben.'
'Dat is erg, maar Marte, jouw kinderen kunnen dat gemis nooit vervangen. Realiseert hij zich dat wel?'
'Dat denk ik wel, maar ze vullen wel een leegte in zijn leven.'
'Dus ze kennen elkaar al?'
Marte glimlachte. 'Ze hebben elkaar ontmoet, ja, maar de kinderen weten nog niet dat hij mijn vriend is. We kwamen

elkaar zogenaamd toevallig tegen in het park en Luka mocht hem meteen. Ze raakten aan de praat en hij nodigde hem uit om eens naar een voetbalwedstrijd te komen kijken. Daarna heb ik hem hier uitgenodigd om mee te eten en zo langzamerhand beginnen ze hem dus een beetje te zien als iemand die geregeld bij ons over de vloer komt.'
'Dat heb je slim aangepakt. Dat is beter dan dat je zegt: kijk, dit is mijn nieuwe vriend en daar moeten jullie het mee doen.'
'Nee, zo wil ik dat niet,' vond Marte. 'Mijn kinderen zijn het belangrijkste in mijn leven. Jammer voor Huib, maar hij komt toch echt op de tweede plaats en als mijn kinderen hem niet zouden mogen, dan kwam hij er ook niet meer in.'
'Dat klinkt kordaat, maar dan zou jij je vriend kwijt zijn.'
'Ja, hoe dat dan moet, zou ik ook niet weten. Ik ben zo gek op hem, dat ik hem niet meer kwijt zou willen, maar gelukkig hoef ik daar niet over na te denken. De kinderen mogen hem gewoon heel graag!'
'Dat klinkt geweldig. Ik hoop dat ik hem ook eens te zien krijg. Wat vinden je ouders trouwens van hem?'
'Die hebben hem nog niet ontmoet. Mijn vader vindt het fijn voor me, maar mijn moeder ...'
'Wat is er met je moeder?'
'Die is er fel op tegen!' riep Marte uit.
'Wat is dat nou voor een onzin? Zonder dat ze hem ontmoet heeft?'
'Ja, moeder, zonder dat ze hem gezien heeft. Ze kan dus niets op hem op tegen hebben, het gaat er haar om dat ze vindt dat ik geen man mag hebben nu. Ik heb er geen tijd voor, vindt ze. Ik heb het druk genoeg met mijn kinderen.'

'Nou, Marte, dat is echt onzin. Met een man erbij gaat het toch allemaal veel prettiger. Het spijt me dat je moeder zo reageert, maar ik denk er anders over en kan je alleen maar veel geluk wensen!'

HOOFDSTUK 12

'Huib komt straks,' zei Meike opgetogen tegen Luka zodra hij de kamer in kwam.

Even voelde Luka zijn hart een sprongetje maken van vreugde, maar het volgende moment was het alsof zijn hart stilstond van verdriet. Hij gaf geen antwoord en strompelde naar de bank.

'Heb je nog zo'n pijn?' vroeg Marte geschrokken.

'Nee, het gaat wel, maar ik kan deze schoen niet aankrijgen.'

Marte kwam op hem af, trok de schoen uit die hij half aanhad en daarna zijn sok. 'Nou de kleuren zijn nog mooier dan gisteren, maar hij is inderdaad niet meer zo dik. Waarom wilde je je schoenen aan? Ga je naar buiten?'

Luka knikte.

'Maar Huib komt zo,' riep Carijn. 'Ik ga vragen of hij *Levensweg* kan.'

'Nietes, hij gaat met mij scrabbelen,' zei Meike.

Carijn keek beteuterd, want dat spel was haar nog veel te moeilijk.

Marte zag de teleurstelling op Carijns gezicht. 'Joh, hij blijft de hele middag. Hij kan misschien wel scrabbelen én *Levensweg* doen.' Ze hielp Luka met zijn schoen. 'Of wil jij een ander spel spelen? Dammen of zo?'

'Ik ga naar buiten,' hield hij vol.

'Doe niet zo raar!' vond Meike. 'Het is juist gezellig als Huib komt.'

'Ik dacht dat jij naar Pien moest,' bromde Luka. Hij had geen zin iets uit te leggen. Maar nu wist hij zeker dat hij naar buiten wilde.

Meike bloosde even, maar had haar antwoord snel klaar. 'Pien is er niet. Die is met haar moeder en haar stiefvader en broer naar een superzwembad met wel tien glijbanen en een bubbelbad.' Ze zuchtte hartgrondig. 'Ik wou dat ik zo'n vader had!'
'We kunnen Huib toch vragen?' stelde Carijn voor.
Marte glimlachte om die woorden. Het was opnieuw een bewijs dat ze hem graag mochten.
Luka trok zijn voet terug en kwam overeind. Hij keek sip en haastte zich zo goed en zo kwaad als dat ging met zijn zere voet de kamer uit naar de keuken.
'Luka!' Marte liep hem na. 'Jongen, wat is er?'
Hij haalde zijn schouders op. 'Niets. Ik wil gewoon naar buiten.'
'Met je zere voet?'
'Dat is al bijna weer over.' Hij pakte zijn jack en trok het aan en voor Marte nog iets terug kon zeggen, was hij de keuken uit verdwenen, naar buiten toe. Ze zag hem de tuin doorlopen. Een kleine jongen, met hangende schouders. Wat was er toch met hem? Het ging juist zo goed. Sinds juf Els er was, werd hij nauwelijks nog gepest en was hij veel opgewekter. Of was het liefdesverdriet? Werd het niets met Laura? Ze zuchtte en zette het koffiezetapparaat vast klaar, zodat ze het meteen kon indrukken als Huib er was. Het was heerlijk dat de meiden zich op zijn komst verheugden en Feiko zou het zeker ook fijn vinden als Huib er was, maar waarom ging Luka juist nu weg? Terwijl hij eigenlijk de eerste van de kinderen was die met hem in gesprek was geraakt.

**

Luka wist heel goed waarom hij per se naar buiten wilde. Daar had hij sinds kort zelfs drie redenen voor. De eerste was Julians hond Rob. Sinds vrijdagmiddag maakte hij zich grote zorgen om het dier. Zijn poot leek nog zieker dan eerst. De tweede was zijn geld. Dat wilde hij terug! Maar toen hij hoorde dat Huib zou komen, wist hij helemaal zeker dat hij niet thuis wilde zijn. Tja, hij mocht Huib graag. Hij vond hem eigenlijk zelfs wel geweldig leuk. Maar hij wilde hem niet leuk vinden! Als Huib kwam was het zo gezellig. Mamma was extra vrolijk en de meisjes vonden het ook zo leuk. Zelfs Feiko begon extra wild te spelen om te laten zien hoe leuk hij het vond dat Huib er was. En daar hadden ze allemaal gelijk in, maar Luka moest door al die gezelligheid steeds vaker aan zijn vader denken. En hij wilde niet zo vaak hem denken. Eerst dacht hij elke dag aan hem, maar later niet meer en dat was eigenlijk fijner. Dan had hij niet zo veel verdriet en pijn. Maar door Huib gingen zijn gedachten weer heel vaak terug naar vroeger.
Stiefvader ... Het woord schoot hem opeens te binnen. Dat was het woord dat Meike gebruikte voor de nieuwe vader van Pien.
Zou Huib hun nieuwe vader worden? Maar dat kon toch niet? Hij had al een vader. Oké, die was in de hemel, maar het was wél zijn pappa. En stiefvader? Dat vond hij zo'n raar woord. Een stiefvader wilde hij helemaal niet.
En stel ... Stel dat het wel zo was. Dat Huib zijn stiefvader werd – zijn nieuwe vader – dan ... 'Nee!' riep hij hardop, 'niet aan denken!'
'Tegen wie loop jij te praten?'
Luka keek geschrokken op. Hij was wel van plan geweest

om naar Julians straat te gaan, maar hij had helemaal niet gezien dat hij daar al was. Nu stond hij plotseling oog in oog met Julian, die hem er bovendien op betrapt had dat hij tegen zichzelf praatte. 'Ik wil mijn geld terug.'
Julian schoot in de lach. 'Het was toch voor Rob? Nou, ik ben Robs baasje, dus dan is het voor mij.' Lachend liep hij weg.
Luka zag hoe hij zijn huis in ging en even later met Rob achter zich aan weer naar buiten kwam. De hond hinkte op drie poten en na een meter of twintig gaf hij het op en bleef op het trottoir zitten.
'Meekomen, joh,' riep Julian en hij rukte aan de lijn.
Moeizaam kwam Rob overeind en strompelde een paar meter voor hij weer in elkaar zakte en er zelfs bij ging liggen.
Luka zag het allemaal gebeuren en hij voelde zo'n medelijden met de hond. Maar hij kon nu niets meer voor hem doen. Al zijn zelfverdiende geld was weg, ingepikt door Julian, de stoerste jongen van de klas.
Opeens grinnikte Luka onhoorbaar. Hij was echt wel stom geweest. Hij wilde zo graag op Julian lijken, ook zo stoer en populair zijn, maar hij wist nu dat hij nooit op hem wilde lijken. Een dierenmishandelaar en een dief! Nee, dat wilde Luka niet zijn.
Julian sloeg een hoek om en verdween uit zijn zicht, maar Luka was nieuwsgierig geworden naar waar hij naartoe ging en volgde hem langzaam ook de hoek om. Hij zag nog net dat Julian weer een hoek om sloeg en hij versnelde zijn pas. Julian liep een kant op waar Luka zelden kwam en zijn nieuwsgierigheid werd groter.
Nog een hoek om en toen werd het hem duidelijk. Bij de

vijver was een hangplek en daar stonden minstens tien kinderen. Luka kwam daar nooit. Het waren allemaal van die stoere kinderen, bij wie hij zich niet op zijn gemak voelde. Op een afstandje keek hij toe hoe Julian het beest onder zijn arm meezeulde.

'Is ie ziek?' hoorde Luka iemand roepen.

'Kan hij zelf niet lopen?' lachte een ander.

'Hou je kop,' schreeuwde Julian.

'Ach, wat scheelt ie dan?' zei een jongen met overdreven lieve stem. 'Kom maar bij Erwin, hoor.'

'Blijf af,' zei Julian. Hij bukte zich om de hond neer te zetten. 'Af!' zei hij gebiedend, maar Rob was echt niet van plan zich nog te bewegen. Hij probeerde zo goed en zo kwaad als het ging te gaan liggen, maar hij werd niet met rust gelaten. Luka zag het met pijn in zijn hart.

'Waarom breng je dat beest mee? Wat heb je aan een hond die niet kan lopen?'

'Het is mijn hond. Ik ga nooit zonder hond de deur uit,' zei Julian. 'Dat weten jullie al lang.'

'Ja, maar toen kon-ie nog lopen. Geef dat beest toch een spuitje, dan ben je er vanaf.'

Julian werd woest en zonder erbij na te denken, gaf hij de jongen die dat gezegd had een klap in het gezicht.

'Ben je gek geworden!' riep een ander en voor Luka begreep wat er precies aan de hand was, zag hij alle jongens over de grond rollen. Het werd een enorme vechtpartij. Hij hoorde slaan en schreeuwen en het liefst van alles was hij weggerend om hier niet bij aanwezig te zijn. Maar hij stond als aan de grond genageld toe te kijken naar wat er gebeurde.

Een jongen struikelde over Rob. De jongen werd nog bozer

dan hij al was en schopte naar de hond. Luka hoorde hem janken en wilde op het dier aflopen, maar hij twijfelde. Hij hield niet van ruzie en al helemaal niet van vechtpartijen. Hij zag hoe de hond zich probeerde terug te trekken en langzaam achteruitschoof. Niet doen! wilde Luka roepen, maar hij wist dat dat geen zin had. Niemand zou hem horen. Bij de huizen aan de overkant van de straat gingen deuren open en verschenen mensen in de tuin. 'We bellen de politie,' schreeuwde een man.

De jongens hoorden het niet. Ze zagen echter ook niet dat Rob zo bang geworden was, dat hij steeds dichter bij de vijver kwam. Als hij nog tien centimeter achteruit zou schuiven, dan zou hij in het water vallen. Luka dacht niet langer na. Hij moest de hond redden. Honden konden best goed zwemmen, maar dan hadden ze wel alle vier hun poten nodig en die kon Rob niet allemaal gebruiken. Hij rende als een gek langs de vechtende jongens naar de hond, maar juist toen hij de hond wilde grijpen, duikelde het dier over de rand en ging kopje-onder.

'Rob!' gilde Luka. 'De hond!' riep hij in paniek.

Julian hoorde hem en stopte met vechten. 'Wat is er?' vroeg hij woest.

'Hij is in het water gevallen. Kijk, hij komt weer boven!'

'Nou en? Rob kan hartstikke goed zwemmen,' zei Julian, maar aan zijn stem was te horen dat hij aarzelde. 'Zijn poot,' zei hij toen zacht. Hij vloog naar de kant en begon hem te roepen. 'Rob, kom hier. Kom hier!'

De hond keek hem aan, maar ging opnieuw kopje-onder. Hij spartelde intussen zo dat hij steeds verder van de kant af raakte.

'Laat hem toch,' zei een ander. 'Dan ben je er meteen vanaf.'
'Ik wil hem niet kwijt,' zei Julian. Zijn stem klonk opeens huilerig en Luka keek verbaasd opzij.
'Spring er dan in,' riep een ander.
'In dat koude water?' Julian rilde bij de gedachte.
'Als je hem niet kwijt wilt,' lachte de ander.
'Het is mijn hond,' zei Julian met trillende stem. 'Ik kan niet zonder hem. Hij is het liefste wat ik heb!'
Luka schrok oprecht van die woorden. Het liefste wat hij had? Al had Luka tien honden, dan nog zou hij dat nooit zeggen. Zijn moeder en Meike en Carijn en Feiko waren allemaal liever dan een hond. Had Julian dan niets wat liever was? Hij rilde van de gedachte en voelde opeens een diep medelijden met Julian, die altijd zo stoer was. Misschien was hij helemaal niet stoer, maar alleen maar heel erg zielig?
Luka dacht geen seconde meer na. Hij trok zijn schoenen en zijn jack uit en sprong in het water. Hij had twee zwemdiploma's. Dit moest lukken. Het water was inderdaad verschrikkelijk koud en even voelde hij zich volkomen verlamd. Gelukkig was dat maar even. Hij besefte dat hij moest bewegen om warm te blijven. Als hij zich niet bewoog stond niet alleen het leven van de hond op het spel, maar ook dat van hemzelf. Hij keek om zich heen, maar zag Rob nergens. Daarom zwom hij naar de plek waar hij hem het laatst gezien had. Hij kneep zijn neus dicht en ging kopje-onder.
Dat het aan de rand van de vijver doodstil geworden was, had hij niet gemerkt. Niemand durfde nog iets te zeggen. Ademloos keken ze toe. Alleen toen er in de verte een sirene hoorbaar werd, keken ze op. De politie was inderdaad gebeld door een van de omwonenden en die was nu in

aantocht.
Luka voelde het koude water tot binnen in zijn lichaam, maar hij had nog wat gevoeld. De hond. Het was er blijkbaar niet diep en Rob lag op de bodem. Snel haalde hij diep adem en toen liet hij zich weer zakken. Hij greep de hond beet en kreeg hem boven. Het was inderdaad een zware hond. Met veel moeite lukte het hem een paar slagen te zwemmen met één hand, toen voelde hij de bodem. Het laatste eindje kon Luka lopen. Hij sjouwde het natte en daardoor nog zwaardere dier mee naar de kant. Daar stonden twee agenten, die het dier van hem overnamen en direct op een deken legden. De ene agent boog zich over de hond en draaide hem op de zij, zodat het water uit zijn bek kon lopen. Hij wreef fanatiek over de buik van de hond. De andere agent sloeg een deken om Luka heen en bracht hem naar de politieauto. 'Mijn jack en schoenen,' zei Luka met trillende stem.
'Ik haal ze. Ga jij maar in de auto zitten.'
Hij bibberde als een gek. Zijn tanden klapperden op elkaar. Hij was bovendien doodsbang, want hij wist niet waarom hij in de politieauto moest gaan zitten. Brachten ze hem naar het bureau? Kreeg hij straf omdat hij in de vijver gesprongen was? Had hij iets verkeerds gedaan? Hij keek door het raampje naar buiten en zag de jongens een voor een verdwijnen. Julian werd met Robbie in een andere auto gestopt en ook die verdween uit zicht.
Toen kwamen de agenten pas weer terug naar hun eigen auto. Ze stapten in en keken opgewekt achterom. 'Zo, jongeman, dat was een knap staaltje! Geweldig, hoor!'
Luka keek hen verrast aan. Ze waren helemaal niet boos.
'Vertel eens hoe je heet en waar je woont.'

‘Waar gaat Julian met de hond naartoe?’
‘Dat was een dierenarts. Die hadden we gebeld. Hij woont hier om de hoek. De hond ademde gelukkig nog, maar hij schijnt een knap zere poot te hebben.’
‘Dat wist ik. Daarom haalde ik hem er ook uit. Hij kon zelf niet zwemmen.’
‘Dat had je dan goed gezien. Nou, waar woon je?’
Luka gaf met bibberende stem zijn adres op. ‘Brengen jullie me naar huis?’
‘Natuurlijk. Een held hoort met speciale begeleiding naar huis gebracht te worden en wij zijn er trots op dat wij dat mogen doen.’
Marte schrok ontzettend, toen ze Luka in een deken met twee agenten voor de deur zag staan.
‘Dag mevrouw! Hier is uw kletsnatte zoon. Ons advies: hete douche, liefst een heet bad en een beker warme melk of hete chocolademelk en dan lekker met een kruik naar bed. Gefeliciteerd trouwens met zo'n fantastische zoon.’

**

Luka rilde nog steeds van de kou al lag hij in een heet bad, waar zijn moeder extra veel badschuim in had gedaan, en al had hij net een beker warme chocolademelk opgedronken. Hij begreep opeens de uitdrukking “door merg en been”, want zo moest dat wel heten als het koude water zelfs je lichaam in was gedrongen. Hij had zijn ogen gesloten, maar hij wist heel goed dat zijn moeder op een kruk naast het bad zat en zich zorgen maakte. Maar hij wilde niet praten. Hij wilde dat ze wegging! Hij wilde het liefst van alles huilen,

maar dat mocht zij niet weten. Ze was zo vrolijk steeds, nee, dat wilde hij niet verstoren, dat moest zo blijven. 'Mamma.'
'Ja, Luka. Gaat het weer een beetje?'
'Ik wil graag alleen in bad liggen.'
'O, sorry, tja, je bent nu ook al zo groot.' Marte stond op en liep naar de deur. Voor ze die sloot zei ze: 'Kom je dan straks wel even beneden? We willen erg graag weten wat er gebeurd is.'
Maar dat was nou precies wat hij niet wilde! Niet naar de gezelligheid, naar de kamer vol mensen. Hij had ze wel gezien allemaal. Huib in de grote stoel met Feiko op zijn schoot en Carijn op de leuning van de stoel. Opa en oma waren er ook, die zaten op de bank met Meike er tussenin. Daar wilde hij juist niet bij horen. Hij was blij dat zijn moeder hem direct meegenomen had naar boven en het bad vol liet lopen. Op dat moment bibberde hij zo dat hij geen woord kon uitbrengen, maar nu hing hem dus boven het hoofd dat hij straks naar beneden moest. 'Mamma, ik wil naar bed. Ik ben moe en mijn voet doet zeer. Rob, Julians hond was in het water gevallen en ik heb hem eruit gehaald. Dat was alles. Dag!'
Marte wilde een heleboel terugzeggen, maar ze zag dat hij zijn ogen weer sloot en zweeg, trok zacht de deur dicht en liet hem alleen.
Luka zuchtte en voelde de tranen over zijn wangen glijden. Hij was helemaal niet trots dat hij in het water gesprongen was. Dat was toch normaal? Hij begreep alleen niet waarom Julian het zelf niet gedaan had of een van die andere jongens, die groter en ouder waren dan hij. Maar verder stelde het niets voor. Behalve dan dat het echt erg koud was geweest, dus hoe koud moest Rob het wel niet hebben? Die

was al ziek en nu ook nog dit. Zou hij eraan doodgaan? Dat kon gemakkelijk, bedacht hij en hij merkte dat er nog meer tranen kwamen. Net als pappa ... Nee, niet aan denken toch. Waarom waren opa en oma er? Die waren gisteren, zaterdag, ook al geweest. En wanneer ging Huib dood? Dat wist je maar nooit. Was hij, Luka, net aan hem gehecht, kwam-ie onder een auto. Zoiets deden vaders! Of hij keek niet waar hij liep en viel in het water. Kopje-onder, dan weer boven komen en weer kopje-onder. Nee, dat was Rob, die hij gered had. Hij voelde dat hij in slaap begon te vallen en dat mocht niet in bad! Hij trok de stop eruit en kwam bibberend overeind. Hij had het nog steeds niet echt warm, maar verlangde naar zijn bed. Als hij nou maar niet ging dromen, want daar had hij geen zin in. Bibberend sloeg hij de handdoek om zich heen en huilde, omdat hij zijn moeder weggestuurd had en zichzelf nu moest afdrogen, terwijl hij haar op dit moment zó nodig had.

**

De volgende dag, maandag, ging hij gewoon naar school. Hij had gelukkig geslapen als een os en nergens over gedroomd. Hij voelde zich ook veel beter en had toch nog het hele verhaal van Rob aan zijn moeder verteld. Nou ja, hele ... dat niet. Hij had nog steeds niet gezegd dat zijn geld weg was. Daar moest hij nog iets op verzinnen. Meike had het verhaal met grote ogen aangehoord en Luka zag dat hij in haar achting groeide, maar dat wilde hij niet. 'Het stelde niets voor,' zei hij nog maar eens ter verduidelijking.
Julian was niet op school, en dat verontrustte hem eigenlijk.

Zou er iets met hem gebeurd zijn? Zou de politie hem opgepakt hebben wegens dierenmishandeling? Dat was nu juist niet de bedoeling geweest!
Juf Els zei alleen maar dat Julian die ochtend niet kwam en verder werd er nergens over gepraat. Luka vond dat prima. Hij hoefde ook niet in de belangstelling te staan. Hij had de jongens ook niet herkend, die bij de vijver stonden en hij vermoedde dat het jongens waren uit een andere wijk van de stad en dat daarom nog niemand het wist.
Het was echter wel opvallend hoe anders de sfeer in de klas was, zo zonder Julian. Eerlijk gezegd een stuk prettiger en rustiger. Na de les vroeg juf hem even te blijven en met een vraagteken op zijn gezicht deed hij dat.
'Luka, ik ben vanmorgen in de pauze door de politie gebeld. Ze hebben me verteld wat jij gedaan hebt. Ik heb grote bewondering voor je. Echt fantastisch dat je in het water gesprongen bent en de hond gered hebt. De politie vroeg of je nu meteen uit school naar de dierenarts toe wilt gaan. Hij wil even met je praten. Je weet misschien niet welke dierenarts er bedoeld wordt, maar ik wil je met alle plezier brengen als je even wacht. Je moeder heeft ook gebeld. Ze is van alles op de hoogte.'
'Maar wat moet ik daar? Ik heb geen geld meer.' Hij kleurde toen hij het zei. Nu zou hij toch nog bijna Julian verraden.
'Ik begrijp die opmerking niet, maar ik geloof niet dat het iets met geld te maken heeft.'
Een paar minuten later liep hij met juf mee naar haar auto. Hij zag een paar klasgenoten nieuwsgierig toekijken. Ze liepen zelfs achter hen aan om te zien wat er ging gebeuren. Luka moest vanbinnen stiekem lachen. Ha! Hij werd zo

vaak gepest, maar nu was hij degene die met juf mee mocht. Hij voelde zich trots en liep met een rechte rug.
'Hier is het,' zei juf al snel. 'Van hier weet je wel de weg naar huis of niet?'
'Ja, juf.'
'Goed, ga dan maar naar binnen. Je wordt verwacht.'
'Bedankt voor het rijden, juf.'
'Graag gedaan, Luka. Wie wil er nu niet een held in zijn auto hebben.'
Luka kreeg rode wangen van die opmerking en blij stapte hij uit. Hij zwaaide nog naar haar en ging toen het grote huis binnen van de dierenarts. Een vriendelijke juffrouw kwam op hem af. 'Ben jij Luka?'
'Ja.'
'Mooi, loop dan maar even mee.' Ze bracht hem naar een kamer met zeil op de vloer. In het midden stond een kale tafel en aan het bureau zat een man in een witte jas. Julian zat naast hem. 'Julian. Ben je hier?'
'Ja.'
'Ik dacht ... ik dacht ...' Hij hield zijn mond. Hij kon het woord politiebureau toch niet uitspreken waar de dierenarts bij was. Die had zich inmiddels omgedraaid en stond op.
'Dus jij bent Luka, de jongen die de hond gered heeft.'
'Ja, dokter.'
'Loop maar even met me mee. Julian, jij ook maar.' Ze liepen door een gang en kwamen bij een aantal kooien. In sommige lag een dier te slapen. Een poes jankte zielig.
'Dit zijn zieke dieren. Die zijn geopereerd en moeten nog bijkomen. Straks mogen ze weer naar huis. En hier hebben we Rob,' zei de dierenarts.

‘Is hij dood?’ vroeg Luka geschrokken.
‘Nee, hij slaapt. Hij is geopereerd en daarvoor heeft hij een verdoving gekregen. Zijn poot was helemaal verkeerd gegroeid na een breuk in het verleden. We hebben het bot opnieuw moeten breken en toen weer goed moeten zetten. Het zal nog weken, misschien wel maanden duren voor hij weer in orde is, maar ik voelde me verplicht hem te helpen, nadat jij hem uit het water gehaald had. Ik vond dat een heel moedige daad van jou.’
‘Komt het wel weer goed dan?’ vroeg Luka gespannen.
‘Ik denk het wel.’
‘En moet hij dan al die tijd hier blijven?’
De dierenarts schudde zijn hoofd. ‘Dat niet. Een dag of vijf nog, denk ik, de rest moet thuis genezen.’
Luka knikte, maar vervolgens betrok zijn gezicht. ‘Hoeveel kost dat wel niet? De operatie en vijf dagen hier ... Ik heb geen geld meer.’
Julians hoofd werd vuurrood. Hij haalde een stel bankbiljetten uit zijn binnenzak. ‘Alsjeblieft. Het spijt me dat ik ze van je afgepakt heb. Mijn vader heeft de operatie vanmorgen al betaald.’
‘Je vader?’ Luka keek hem verbaasd aan.
‘Ja. De dierenarts en de politie hebben met hem gepraat en toen heeft hij betaald.’
‘Wat leuk voor je,’ zei Luka spontaan.
Julian glimlachte voorzichtig. Hij was duidelijk bang voor Luka, in elk geval voor wat Luka zou kunnen gaan zeggen. Maar Luka was niet van plan iets lelijks te zeggen. Hij keek naar het geld in zijn hand. ‘Dan moet ik nu opnieuw gaan bedenken wat ik ervoor kopen wil.’ Hij lachte. ‘Maar mis-

schien weet ik het wel.'
'Wat dan?'
'Een telefoon, want dat is best gaaf!'
Opnieuw ging Julians hand zijn binnenzak in. 'Hier. Voor jou. Ik heb er twee, maar deze gebruik ik nooit. Om je te bedanken.' Hij keek naar de vloer en zag niet dat Luka's mond open viel van verbazing.
'Voor mij?' vroeg Luka volkomen perplex.
Julian knikte.
'Maar zo hou ik nog geld over!'
'Dan gaan jullie maar lekker samen in de stad een glaasje fris drinken om te vieren dat jullie vrienden geworden zijn,' stelde de dierenarts voor.
Luka begon te stralen. 'Goed idee. Zeg, wacht even, Julian. Even naar mijn moeder bellen dat ik voorlopig nog niet thuiskom.' Grinnikend keek hij naar zijn mobiele telefoon. 'Ik weet alleen niet hoe dat ding werkt!'
Nu moest Julian ook lachen. 'Je moet eerst een telefoonkaart kopen. Wacht. Ik bel je moeder wel. Dan gaan we een kaart kopen en daarna iets drinken en ondertussen leg ik je precies uit hoe hij werkt. Deal?'
'Yes!' zei Luka met een gelukkig gezicht.
Toen ze buiten stonden, stompte Julian hem kameraadschappelijk in zijn zij. 'Maar wel uitzetten in de klas, hoor!'
Luka keek hem aan en opeens schoten ze allebei onbedaarlijk in de lach. 'Ja, want oei, als meester Koopman weer terugkomt,' zei Luka proestend. Wat was hij blij dat ze hier nu samen om konden lachen!

HOOFDSTUK 13

Hand in hand liepen Marte en Huib over het strand. Het begon al echt voorjaar te worden. De wind voelde warm aan en blies zachtjes Martes krullen in de war. Haar wangen gloeiden, maar dat kwam niet door de temperatuur of de wind, dat kwam door de man naast wie ze liep.
'Wat zouden de kinderen hier genieten,' zei Marte glimlachend.
'Mis je ze erg?' vroeg Huib.
Ze zuchtte. 'Daar kan ik eigenlijk geen eenvoudig antwoord op geven. Ja, ik mis ze ontzettend. Ik ben nog nooit een hele dag zonder geweest sinds de geboorte van Luka. Tegelijkertijd geniet ik er ontzettend van om eens helemaal alleen te zijn. Het geeft zo'n onbezorgd gevoel. Voor niemand verantwoordelijk te zijn.'
'Behalve voor jezelf dan, lief.'
Ze lachte. 'En dat is een zware klus.'
'Hoezo?' vroeg hij.
'Wat moet ik met jou?' Ze draaide haar hoofd zodat ze hem aan kon kijken. Meteen voelde ze zijn lippen op de hare.
'Ben ik een probleem?' vroeg Huib daarna.
'Daar kan ik ook al geen eenvoudig antwoord op geven.'
'Dan maar ingewikkeld, maar leg uit. Wat is er?' Hij keek haar bezorgd aan.
Marte glimlachte, maar zuchtte ook. 'Ik vind je zo lief,' begon ze. 'Het is zo heerlijk met jou. Je maakt me zo blij en gelukkig ...'
'En toch?'
'Tja, hoe zie jij de toekomst? Misschien loop ik wat hard

van stapel, maar als ik je zo vaak zie, kan ik straks echt niet meer zonder je. Ik vind het heerlijk je te ontmoeten, heerlijk als je bij ons thuis komt. De kinderen vinden het geweldig als jij er bent. Althans de meisjes en Feiko. Luka lijkt zich terug te trekken, maar dat heeft misschien een andere oorzaak, dat weet ik niet. Het is in elk geval een ander onderwerp. Ik bedoel, ik raak zo aan je gehecht, de kinderen ook, waar draait dit op uit? Hoe moet dat verder?'
'Ik zie het probleem niet,' zei Huib. 'Als alles zo fijn is, wat is er dan niet oké? Ik geniet ook zo ongelooflijk van jou én van je kinderen. Jij, jullie maken me minstens zo gelukkig als ik jou blijkbaar maak.'
'Het zijn mijn kinderen én het zijn er vier. Meestal is het toch zo dat een relatie uitloopt op samenwonen.' Ze wilde het woord trouwen niet uitspreken, dan liep ze echt te hard van stapel, al had ze er de laatste tijd wel over gedacht. En dat ze dat maar al te graag wilde, had ze gedacht, tot haar eigen verrassing. 'Wil jij samenwonen met zo'n groot gezin, met vier kinderen die niet van jou zijn? En als we dat zouden doen, verlies ik mijn uitkering en moet jij voor ons zorgen. Dat is zo duur, Huib. Kun je dat opbrengen? Wil je dat opbrengen? En daar komt bij ...' Ze zuchtte, maar werd overrompeld door zijn armen. Hij trok haar tegen zich aan en belette haar verder te praten.
'Kijk, dat bedoel ik nou,' zei ze even later. 'Zo gelukkig maak je me. Ik zou niets liever willen dan met je samenwonen, maar dan raak ik dus ook mijn zelfstandigheid kwijt. Dan word ik afhankelijk van jouw inkomen. Ik ben het inmiddels zo gewend om zelf te beslissen wat ik met mijn geld doe. Het is ook míjn geld. Dat heb ik dan niet meer. Daar

komt nog bij dat jij het zo mooi hebt in huis. Dat kan niet met vier kinderen. Er knoeit er altijd wel eentje. Je mooie bankstel gaat eraan, er komt een kras op je eettafel.'
'Lieve meid, wat een problemen heb jij.' Hij lachte en trok haar tegen zich aan. 'Weet je wat we doen? We gaan ergens iets warms drinken, want daar heb ik behoefte aan en dan zal ik proberen te reageren op wat je net allemaal zei.'
Ze knikte aarzelend. Aan de ene kant was ze bang voor wat hij zou gaan zeggen, want misschien gaf hij haar wel gelijk en vond hij inderdaad dat haar gezin te groot was om mee samen te wonen en wat dan? Zouden ze dan altijd een latrelatie houden? Moest ze altijd iemand zien te vinden die wilde oppassen als ze hem buiten haar eigen huis wilde ontmoeten? Zoals nu, dit weekend? Luka en Meike bij haar ouders en Carijn en Feiko bij Heleen. Aan de andere kant was ze blij dat ze al haar bedenkingen nu toch kenbaar gemaakt had. Het was goed dat hij wist wat er in haar hoofd omging.
'Ik geloof dat daar iets open is,' zei hij, terwijl hij voor hen uit wees.
Het was nog te vroeg in het jaar voor de strandtenten om geopend te zijn, maar daarginds waren wat meeuwen op het strand aan het schreeuwen. Ze vochten om iets eetbaars, dus misschien had Huib gelijk. Ze liepen door, opnieuw hand in hand. Marte voelde zich zo heerlijk met haar hand in de zijne. Het was zo'n warm, geborgen en veilig gevoel. Ze kneep er zachtjes in en hij reageerde door naar haar te lachen.
Het bleek inderdaad een café te zijn dat open was. Er was zelfs een verwarmd terras. Huib en Marte gingen zo zitten, dat ze de zee konden zien.
'Wil je koffie of chocolademelk?' vroeg Huib.

'Koffie graag.'
Hij bestelde twee koffie met appelgebak en keek Marte vervolgens indringend aan. 'Oké, dan zal ik proberen te zeggen wat ik denk en voel. Ik heb altijd veel kinderen willen hebben. Hoeveel weet ik niet, maar in elk geval meer dan een. Ik was ontzettend gelukkig toen Emiel geboren werd. Het was een gezonde, lieve baby en ik was knettergek op hem. In stilte dacht ik: dit is nummer een. Nu op naar nummer twee. Dat ging dus niet door, omdat Mariska's baarmoeder verwijderd moest worden. Dat was een enorme klap. Niet alleen voor haar, voor mij ook. Mijn droom van een groot gezin viel in duigen. Maar het was overmacht. Het was niemands schuld, er was niets aan te doen, dus moest ik het accepteren. En ondanks mijn teleurstelling heb ik dat natuurlijk gedaan. Het moest helaas zo zijn. Ik besefte dat je de dingen die met het leven te maken hebben, niet zelf in de hand hebt. Je moet je eraan overgeven zoals het komt.' Hij hield even op, omdat de koffie gebracht werd. Zijn blik gleed van Marte naar de zee. Op het strand krijsten de meeuwen, ruzieden om een paar korsten brood.
Huibs blik was zo ernstig, dat Marte het liefst op wilde staan om hem tegen zich aan te trekken. Ze legde haar hand op die van hem en streelde hem troostend, aanmoedigend om door te gaan.
'Ik richtte me dus helemaal op Emiel. We deden zo veel dingen samen. Hij kon daar net zo van genieten als ik. Elke zaterdag stond ik langs de lijn als hij voetbalde. Af en toe gingen we samen een weekendje weg, kamperen in een kleine tent. Achteraf ben ik dankbaar dat ik dat allemaal gedaan heb. Ik heb het gevoel dat ik hem een fijne tijd op aarde ge-

geven heb. Ik heb er in elk geval alles aan gedaan om zijn korte leven zo leuk mogelijk te maken.' Hij pakte zijn koffiekopje en nam een slok. 'Als ouder gaan je gedachten natuurlijk ook altijd naar de toekomst. Dan dacht ik aan de dag waarop hij thuis zou komen met een meisje. Of aan zijn studie. Wat zou hij later gaan leren? Wat wilde hij worden als hij groot was? Nou ja, groot is hij dus niet geworden. Hij werd ziek en was er niet meer.' Hij viel stil en Marte zweeg ook. Het was zo moeilijk nu iets te zeggen en uit ervaring wist ze dat samen zwijgen soms troostvoller was dan clichéuitspraken te doen.

'Ook dat moet je accepteren. Zulke dingen gebeuren. Maar dat was wel moeilijker, dat kostte tijd en soms blijkt dat ik het nog niet geaccepteerd heb. In elk geval weet ik nu nog duidelijker dat je dingen als leven en dood niet zelf in de hand hebt. Nou ja, dat hoef ik jou niet uit te leggen. Jij hebt helaas ook ervaring op dat gebied.' Hij keek haar weer aan en glimlachte, maar het was een ernstige glimlach, die zijn ogen niet bereikte. 'Wat ik hiermee zeggen wil, is eigenlijk dat je het leven moet nemen zoals het komt. Ik ben jou tegengekomen, ik ben verliefd op jou geworden, ik ben zelfs van je gaan houden. Dus moet ik jouw kinderen wel op de koop toe nemen. Als ik jou wil, horen zij erbij. Maar zo voel ik het niet. Ik ben echt gek op ze geworden. Ik vind het stuk voor stuk prachtkinderen. Misschien is vier veel, maar wie zegt dat het er over een jaar nog vier zijn? Er kan er zomaar een overlijden. Nee, stil, Marte, zo mag ik niet denken, dat weet ik, maar zo is het leven wel. Als ik nu tegen je zeg dat ik niet met je wil samenwonen omdat je te veel kinderen hebt, en er overlijdt er toch een, wil ik dan wel? Is drie niet

te veel? We weten niet wat de toekomst brengt en daarom wil ik me daar ook niet al te zeer op richten. Grote plannen maken voor later. We leven nú en moeten het nu doen met wat we hebben en ik heb jou en ik wil je kinderen ook. Als ze echt mijn eettafel zouden bekrassen, is dat misschien jammer, maar wat geeft het? Wat doet het ertoe als ze op mijn bankstel knoeien? Het zijn kinderen die leven, die nog moeten leren niet te knoeien en trouwens, jij of ik kunnen ook een kop koffie op de bank laten vallen. Ik wil heel graag met je samenwonen en dat had ik je dit weekend ook willen vragen, maar daar komen we dan straks nog op terug.' Nu lachten zijn ogen wel, zag ze.
'Het zijn mijn kinderen niet, nee, en misschien zal me dat ooit opbreken. Misschien zal ooit een van hen tegen me zeggen: waar bemoei je je mee, je bent mijn vader niet, maar dat is dán. Nú laten ze blijken dat ze me mogen en we leven nú, Marte. Ik wil me geen zorgen over later maken, want je weet nooit hoe later is.'
Marte knikte en voelde zich ontroerd doordat hij zo open en eerlijk was. Ze zuchtte zacht, wilde iets terugzeggen, maar vond zo snel de juiste woorden niet.
Huib ging echter weer verder. 'Het kan me ook niets schelen dat vier kinderen duur zijn. Dat is logisch. Ik heb geen riant inkomen, maar we kunnen er vast wel van leven. Nu houd ik geld over, omdat ik er alleen van leef. Dat zal anders worden, maar dat moet voor jou geen punt zijn als ik zie hoe jij je redt met een krappe uitkering. En bovendien,' er verscheen opeens een twinkeling in zijn ogen, 'áls we samenwonen, heb ik geen hulp in de huishouding meer nodig. Dat geld spaar ik dan uit.'

'Ah, daar komt de aap uit de mouw,' zei Marte die blij was dat hij in staat was een grapje te maken. 'Je hebt een huishoudster nodig.'
'Fijn dat je het eindelijk snapt.'
'Smaakt het appelgebak niet?' De serveerster stond weer bij hen.
Marte lachte. 'Geen idee, we zijn er nog niet aan toe gekomen om het te proeven, maar ik zou nog best een kop koffie willen.'
'Ik ook,' zei Huib.
'Oké.'
'Misschien,' ging Huib even later verder, 'worden je kinderen erg vervelend als ze gaan puberen. Misschien denk ik dan weleens: waar ben ik aan begonnen? Maar dat zijn dingen die we nu niet weten en zoals ik net probeerde uit te leggen, wil ik in het nu leven. En dan nog wat ...' Hij wachtte tot de serveerster de verse koffie had neergezet. 'Toen jij getrouwd was met Ton en stopte met werken omdat je Luka kreeg, waar leefde je toen van? Toch zeker van Tons inkomen?'
Marte knikte, begreep niet waar hij op uit was.
'Had je toen het gevoel dat je je zelfstandigheid kwijt was? Dat je afhankelijk was van hem, van zijn inkomen?'
'Nee,' zei ze aarzelend. 'Nee, we waren immers getrouwd en Luka was ook van hem. Als hij ook vond dat ik moest of kon stoppen met werken, was zijn geld net zo goed van mij.'
'Precies en als wij zouden trouwen, Marte, is mijn geld net zo goed van jou.'
'Maar Luka is niet van jou,' protesteerde ze, maar haar ogen werden groot. Had ze het goed gehoord? Had hij het over

trouwen gehad? 'Wat bedoel je?' vroeg ze verward.
Hij glimlachte en boog zich naar haar over om haar te kussen. 'Ik had het me iets anders voorgesteld, maar ik kan het je net zo goed hier aan dit tafeltje vragen: wil je met me trouwen, Marte?'
Ze keek hem overrompeld aan. Ze wilde niets liever dan ja roepen, maar al haar bezwaren dan? Had hij die net allemaal van tafel geveegd? 'Ik eh ...'
'Marte, zeg alsjeblieft ja. Ik hou van je. Ik hou van je kinderen en als we getrouwd zijn, is automatisch alles wat van mij is ook van jou. Dat maakt je niet afhankelijk van mij, dat maakt je mede-eigenaar en je kunt zelf beslissen hoe jij het geld uitgeeft en waaraan. Je hoeft niet voor elke euro mijn toestemming te vragen, helemaal niet. Mijn geld is dan jouw geld en ik heb echt wel gezien hoe jij met geld omgaat. Je hebt geen gat in de hand, je draait elke munt om voor je hem uitgeeft. Je kunt het natuurlijk afhankelijk noemen. In theorie is het ook wel zo, want jij brengt geen geld in, maar wat jij inbrengt, Marte, is met geen geld te betalen. Jouw liefde, jouw warme, heerlijke lach, jouw armen, je woorden – én jouw kinderen. Als ik daar dagelijks van zou mogen genieten, is dat werkelijk met geen geld te betalen. Toe, zeg ja!'
'Dat wil ik ook,' fluisterde ze, 'maar ...'
'Wat maar, Marte? Wat is er nog dat je in de weg zit?'
'Je zei dat het mij ook kan overkomen, dat ik een kind verlies. Dat is te afschuwelijk om aan te denken, maar het is wel zo en hoe meer kinderen, hoe groter de kans. Maar minder dramatisch kan er nog veel vaker iets gebeuren. Ik bedoel: ze zouden ernstig ziek kunnen worden of kattenkwaad uit gaan halen en met de politie in aanraking komen. Er kan zo

veel gebeuren wat niet leuk is en dan zit jij ermee.'
'Marte,' zei hij dwingend, 'ik zei toch dat ik niet naar de toekomst wil kijken. Je weet niet wat er kan gebeuren. Alles kan gebeuren. Dingen, situaties, die je als mens niet eens kunt voorstellen. Daarom wil ik er niet aan denken. Ik leef nu en nu wil ik het liefst met jou en je gezin samenwonen, trouwen met jou. En bovendien, Marte, als we alleen maar zouden gaan samenwonen, heb je vast minder het idee dat alles wat van mij is, ook van jou is. Als we getrouwd zijn, is het wettelijk zo geregeld. Of we moeten een samenlevingscontract laten opmaken, maar dan kunnen we net zo goed gaan trouwen, vind ik.'
'Eh ...'
'Mijn huis is zo leeg, Marte, zo kil als ik thuiskom. Stel je toch eens voor dat ik elke avond thuis mag komen bij jou en je gezin. Wat een warmte, wat een genot.'
'Of wat een ruzie en gezeur.'
Hij glimlachte. 'Heb je dan nou nog niet door dat ik van jullie houd en dat ik jullie zo wil hebben als jullie zijn – met alles erop en eraan dus.'
'Ik moet even weg.' Gehaast stond ze op, haar stoel viel bijna om en voor Huib iets kon zeggen, was ze het terras afgerend, het strand over naar de zee.
Verbaasd zag hij haar staan, de wind die door haar krullen waaide, een tenger figuur, zijn dappere, lieve vriendin. Wat was er nu? Hij wilde op haar aflopen, haar in zijn armen nemen, maar hij liet haar alleen, omdat dat duidelijk was wat ze wilde.
Marte voelde de tranen over haar wangen stromen. 'Ton,' riep ze tegen de zee en de golven die het strand op kwamen

rollen. 'Ton! Hij wil met me trouwen, maar wil jij dat ook?' Ze snikte het uit, van geluk en van wanhoop. 'Ton,' fluisterde ze de naam van haar overleden man, de man met wie ze oud had willen worden, maar die stierf toen hij nog maar net dertig was. Ze liet zich op het zand zakken en liet haar tranen gaan.

Het ruisen van de golven kalmeerde haar. Langzaam werd ze rustiger. In haar hoofd zag ze hoe het beeld van Ton verdween en het beeld van Huib ervoor in de plaats kwam. En het was alsof ze in haar achterhoofd een stem hoorde praten, de stem van Ton: 'Natuurlijk wil ik dat. Ik wil dat je weer gelukkig wordt, echt gelukkig, zoals je dat met mij was en ik denk dat dat met Huib kan. Trouw met hem. Liefste, blijf niet om mij treuren, maar pak dit geluk met beide handen aan.'

Ze veegde haar tranen weg en keek naar de golven. Nog steeds hoorde ze zijn stem: 'En doe het voor de kinderen. Die hebben een manspersoon in hun leven nodig en je ziet toch hoe Huib van hen houdt en hoe gek zij op hem zijn. Liefje, mijn Marte, neem dit geluk aan!'

Ze glimlachte en kwam overeind, terwijl Ton bleef doorpraten in haar hoofd. 'Maar vraag eerst Luka om toestemming, want die voelt zich niet prettig. Vertel hem wat je plannen zijn, en vraag of hij het ermee eens is. Dat is belangrijk, schat.' Ze knikte en wist dat Ton gelijk had, als het Ton was die haar die woorden ingaf. Ze lachte naar de zee. 'Bedankt, schat!' riep ze boven het geruis uit. 'Bedankt en ik zal altijd van je blijven houden.' Toen rende ze terug en wierp zich in Huibs armen. 'Ik moest Ton om toestemming vragen.' mompelde ze, 'maar hij vond het goed.'

Huib kreeg tranen in zijn ogen en trok haar tegen zich aan. Het kon hem niets schelen dat de serveerster naar hen keek. Hij voelde zich zo warm worden door die woorden. Nee, niet op de tweede plaats gezet, niet naast of onder Ton gezet, in tegendeel zelfs. Als Ton het "goedvond", zoals ze zei, dan stond hij op dezelfde voet als Ton, dan betekende hij minstens net zoveel voor Marte als Ton gedaan had, dan werd hij volwaardig haar man en geen vervanger, geen tweede keus. Hij streelde haar rug en fluisterde: 'Dus je zegt ja?'
Ze trok haar hoofd naar achteren om hem aan te kijken. 'Sorry, Huib, maar toch nog onder één voorwaarde.'
'O?'
'Dat de kinderen het ook goedvinden.'

**

Het werd een fantastisch weekend. 's Avonds gingen ze uit eten en naar een theatervoorstelling. En nadat ze weer terug waren op de hotelkamer, vrijden ze voor het eerst als man en vrouw. Zo lief als Huib was in zijn woorden, zo begripvol als hij al die tijd al was, zo was hij dat ook in bed. Ze genoten beiden volop van elkaars lichaam en elkaars aanrakingen. Hun liefdesdaad was een bevestiging dat ze echt met elkaar verder wilden.
De volgende dag reden ze een stuk door de omgeving en genoten ze opnieuw van het uitzicht op zee. Marte voelde zich gelukkiger dan ze in lange tijd was geweest. Daarnaast voelde ze nog steeds voortdurend hoe Huib haar die nacht had aangeraakt, gestreeld, gezoend, bekeken, onderzocht, gevrijd.

Het was zoals ze zei: het voelde zo onbezorgd aan zonder kinderen. Maar ze begon ze toch wel te missen. Zondag, aan het einde van de middag reden ze terug naar huis. Eerst naar haar ouders, om Luka en Meike op te halen.
Marte wilde het wel van de daken schreeuwen dat Huib haar gevraagd had, maar ze zweeg.
Het was inmiddels wel zo dat haar moeder niet meer zo fel tegen een relatie was. Sinds ze Huib ontmoet had, die zondagmiddag dat ze onverwachts voor de deur gestaan hadden en Luka kletsnat thuisgekomen was omdat hij Rob uit het water gered had – had ze moeten toegeven dat hij inderdaad erg aardig was. Toch voelde Marte dat haar moeder haar enthousiasme over een huwelijk niet zou delen en ze wilde haar blijdschap niet de kop in laten drukken. Bovendien vond ze dat haar kinderen het eerst moesten weten en hun toestemming mochten en moesten geven om het echt door te laten gaan.
Maar bij Heleen was het moeilijker om haar geheim te verhullen. Die zag aan haar ogen dat er iets gebeurd was. 'Heeft hij je gevraagd?' fluisterde ze, terwijl Carijn en Feiko Huib enthousiast begroetten.
'Ik zeg niets,' zei Marte lachend.
'Dan weet ik genoeg,' vond Heleen. 'Meid, wat heerlijk voor je!'
'Eerst de kinderen ...' verduidelijkte Marte toch maar, omdat ze het niet leuk vond een geheim te hebben voor haar beste vriendin.
'Ik snap het en zo hoort het ook,' vond Heleen.
'Huib stelde trouwens voor dit weekend nog eens over te doen.'

'Prima, het is hier geweldig gegaan. Ze zijn heel lief geweest, dus je mag ze gerust nog eens brengen.'
Marte lachte. 'Nee, mét de kinderen. Dan kunnen zij de zee ook eens zien.'
'Wat zullen ze dat geweldig vinden. Leuk voor je. Of?'
Marte glimlachte. 'Ik vind het toch moeilijk om dat te accepteren. Hij betaalt alles. Voor mij is dat nog te doen, zoals dit weekend. Ik mocht echt niets betalen, al had ik besloten het diner in dat restaurant te betalen. Hij wilde het niet hebben. Maar voor vier kinderen is dat een hele uitgave!'
'Meid, als hij het niet kon betalen of het er niet voor overhad, zou hij het niet aanbieden. Geniet er nou alleen maar van en accepteer het.'
'Dat ben ik ook wel van plan, maar ik denk toch niet dat hij echt doorheeft wat het kost.'
'Heus wel. Zo is Huib wel.'
'Hoe ben ik wel?' Opeens stond hij naast hen en Heleen besloot eerlijk te zeggen wat Marte net gezegd had. 'Dat jij wel weet hoe duur het is om met vier kinderen een weekend uit te gaan.'
Huib lachte. 'Ja, daar heb ik mijn gedachten al uitgebreid over laten gaan. Ik zal mijn spaarpot aan moeten spreken, maar ...'
'Je spaarpot aanspreken?' reageerde Marte geschrokken.
Huib lachte. 'Lieve schat, dat ik zeg ik expres, om je te plagen en het werkt ook nog. Wanneer accepteer je nu dat ik van jullie allemaal houd en dat jullie gezelschap met geen geld te betalen is en dat het me dus niet uitmaakt wat het kost, zolang ik het geld heb, natuurlijk. En voorlopig heb ik nog genoeg.'

HOOFDSTUK 14

Luka stopte een pakketje folders in een brievenbus en keek ondertussen om zich heen. Hij kende de brievenbussen nu op zijn duimpje, wist precies welke klemde en welke gemakkelijk ging. Hij wist ook precies bij elk huis waar ze zaten en moest lachen toen hij terugdacht aan de allereerste dag dat hij folders rond ging brengen. Er waren twee huizen geweest waar hij de brievenbus niet had kunnen vinden. Die bleek een stukje van de deur vandaan te zitten, een gleuf in de muur. Zulke brievenbussen had hij nog nooit eerder gezien. Bij hem thuis zat ie gewoon in de voordeur, maar nu wist hij dat het ook anders kon. Er waren ook huizen die de brievenbus buiten hadden staan. Dat waren huizen met een tuin voor de deur.

Hij had nu al honderdvijftig euro bij elkaar gespaard. Twee keer had hij een telefoonkaart gekocht, maar het vreemde was dat hij verder niet wist wat hij met al dat geld moest doen. Hij had zo veel wensen gehad, maar nu hij sommige ervan kon waarmaken hoefde het opeens niet meer. Een nieuwe broek was al snel afgevallen en als hij goed bij zichzelf naar binnen keek, wilde hij ook geen nieuwe schoenen. Bijna honderd euro voor een paar schoenen, waar hij toch weer uit zou groeien, en als hij ze een dag aanhad, waren ze vast al vies. Een mobiele telefoon had hij van Julian gekregen en eigenlijk was die ook minder leuk dan hij verwacht had. Ja, hij kon nu altijd bellen als hij wilde, maar wie moest hij bellen? Julian werd vaak gebeld of kreeg vaak sms'jes, maar meestal bleek dat de beller of afzender gewoon bij hen

in de klas zat of op het schoolplein stond. Luka vond dat je daar niet voor hoefde te bellen. Het was wel erg leuk geweest dat hij van Laura een sms'je gekregen had. Dat had hem een knalrood hoofd bezorgd, maar dat had gelukkig niemand gezien.
Tja, en de dierenarts had hij ook niet hoeven betalen. Wat was Rob trouwens opgeknapt. Hij rende en sprong weer. Soms kon Julian hem niet eens bijhouden. Dat was lachen, want Luka had zelf gezien dat Rob zo hard trok, dat Julian onderuitging en languit op de straat was terechtgekomen.
Luka kon nu goed met Julian overweg. Julian pestte hem nooit meer, maar Luka wist wel dat ze ook nooit echte vrienden zouden worden. Hij was zo anders dan Luka en zo wilde Luka niet zijn. Hij kon namelijk nog steeds gemeen zijn en hij loog gewoon waar je bij stond. Nee, een echte vriend werd hij niet, maar Luka ging tegenwoordig wel met veel plezier naar school. Hij werd nooit meer uitgelachen en juf Els was een fantastisch lieve juf.
Hij was wat aan de late kant, maar dat kwam omdat hij bij juf Els had moeten komen. Alle kinderen moesten stuk voor stuk na de les bij haar komen. Ze had de uitslagen van de Cito-toets en die wilde ze niet openlijk in de klas bespreken, maar met elke leerling afzonderlijk. Hij glunderde toen hij eraan terugdacht.
'Je hebt de toets heel goed gemaakt, Luka,' zei juf Els met een lach die hem het gevoel gaf dat ze trots op hem was. 'Maar ja, dat kan ook haast niet anders,' ging ze verder. 'Jij doet altijd je best en je hebt altijd je huiswerk geleerd. Naar wat voor school zou je graag willen gaan?'
'Naar het havo, juf. Ik ben pas met mijn moeder naar de

open dag van het Landsma College geweest. Dat vond ik een heel mooie school.'
'Nou, Luka, dat moet lukken. Ze adviseren zelfs dat je naar het vwo kunt en dat kan ook op het Landsma College. Ik heb je moeder een brief met de uitslag gestuurd. Die zal ze vandaag wel ontvangen hebben. Jullie moeten maar eens praten over wat je wilt en binnenkort verwacht ik je moeder hier voor een gesprek. Dat staat ook in de brief.'
Luka keek haar opgelucht aan. Hij had wel gedacht dat hij de toets goed gemaakt had, maar zeker wist je dat natuurlijk pas als je de uitslag had.
'Vind je het wel leuk in groep 8?' vroeg juf Els opeens.
'Ja, juf,' zei hij, en hij voelde dat hij het meende.
Ze keek hem onderzoekend aan en zag dat hij de waarheid sprak. Daar was ze erg blij om. Meneer Koopman had weinig goeds over de klas verteld en de dingen die hij gezegd had, klopten van geen kant. Het was duidelijk dat hij het overzicht verloren had en dat het verstandig was dat hij niet meer voor de klas stond. Ze had vanaf de eerste dag gemerkt dat Luka gepest werd, al had hij er niets van gezegd.
'Is meneer Koopman erg ziek?' vroeg Luka. Hij had deze vraag al vanaf de eerste dag dat juf Els er was, willen stellen, maar hij durfde het niet. Eigenlijk wilde hij het niet weten ook, want als juf Els zei dat hij snel weer terug zou komen, zou hij zich alleen maar rot voelen. Maar als ze het tegenovergestelde zei ...
'Meneer Koopman is niet ernstig ziek,' zei juf Els en ze zag meteen Luka's gezicht betrekken. 'Ik bedoel, hij ligt niet in het ziekenhuis. Maar het zal nog wel een hele poos duren voor hij weer voor de klas kan staan.' Nu zag ze dat zijn

ogen voorzichtig weer begonnen te glanzen. Ze voelde diep medelijden met hem. Dat hij gepest werd door klasgenoten was erg, maar dat hij geen steun had kunnen vinden bij zijn leraar was nog veel erger. En Els had al snel gezien dat dat de situatie was geweest gedurende de tijd voordat meneer Koopman zich overspannen afmeldde. Om hem nog meer gerust te stellen, zei ze: 'Meneer Koopman komt dit schooljaar niet meer terug. Heel misschien volgend jaar, maar dan zit jij al op het Landsma College. Nou, jongen, gefeliciteerd met het mooie resultaat. Ga nu maar snel naar huis.'
In de gang was hij bijna tegen Laura opgebotst. Die was na hem aan de beurt. 'Ik mag naar het Landsma Collega,' zei hij opgetogen.
'Tof!' zei ze met een gespannen uitdrukking op haar gezicht.
Luka lachte. Laura was minstens net zo zenuwachtig voor de uitslag als hijzelf en dat was minstens net zo dom. Laura haalde altijd goede cijfers en had haar huiswerk ook altijd af. Hij vond haar erg knap. 'Succes,' zei hij nog snel voor ze het klaslokaal in verdween.
Hij hoopte zo dat ze ook naar het Landsma mocht. Hij had haar daar gezien tijdens de open dag en het leek hem geweldig om samen met haar aan die nieuwe school te beginnen. Karsten was gisteren bij juf geweest. Die mocht ook naar het havo, maar Julian kon daar volgens juf niet naartoe. Dat vond Luka best logisch, want Julian deed nooit zijn best op school. Maar Julian was er boos om geweest en had lelijke dingen over juf Els gezegd. Alsof hij dom was, had hij geroepen. Echt niet!
Opeens schoot Luka te binnen dat hij zijn mobiele telefoon

bij zich had. Zou hij Laura sms'en en vragen wat de uitslag was? Waarom niet, eigenlijk? Hij voegde meteen de daad bij het woord en verstuurde zijn berichtje. Daarna pakte hij de fiets met folders en ging ijverig verder. Wat zou hij toch met zijn geld gaan doen, dacht hij nu weer. Hij wist heel goed dat zijn moeder bijna jarig was en hij wist ook dat ze graag een nieuw koffiezetapparaat wilde. Laatst had hij in een folder zo'n ding gezien en die kostte 49 euro. Dat kon hij dus gemakkelijk betalen, maar hij had er ook een gezien van 89 en nu wist hij niet welke hij het beste kon kopen.
Even dacht hij aan Huib. Dat was zo iemand aan wie hij het zou kunnen vragen. Hij wist gewoon dat Huib met hem mee zou denken en hem zou helpen de goede beslissing te nemen. Maar nee, Huib wilde hij het niet vragen. Huib was ... Hij zuchtte. Waarom was het toch zo moeilijk met Huib in huis? Zijn zusjes waren altijd dolblij als hij kwam en eigenlijk was hij dat zelf ook, maar hij wilde niet blij zijn als Huib er was, hij wilde het gewoon echt niet!
Hé, daar fietste de broer van Pien. Hoe heette die ook alweer? O, hij wist het weer. 'Hoi Jesper!' riep Luka.
Jesper keek op, lachte en hield in, maar vervolgens betrok zijn gezicht.
Luka begreep dat niet, maar vroeg er niet naar. 'Wat ga je doen?'
Jesper vond het op de een of andere manier moeilijk om met hem te praten. Hij keek zo schuchter, zo anders dan normaal. Luka kende hem niet echt goed. Hij was al van de basisschool af, maar op het voetbalveld zag hij hem regelmatig. 'Is er wat?'
Jesper keek hem onderzoekend aan, maar lachte toen toch

weer. 'Ik ga nieuwe voetbalschoenen halen, met goeie noppen. Dan glij je niet zo vaak uit op het natte gras. We hebben morgen een belangrijke wedstrijd en mijn schoenen zijn kapot en versleten.'
'Sjonge, tof, hé.'
'Zeg dat wel. Ik heb vijftig euro van mijn moeder gekregen en alles wat ze duurder zijn moet ik zelf bijbetalen. Ik heb geld zat, want ik heb ook een folderwijk.'
'Echt?'
'Ja, al jaren. Bevalt me prima. Twee keer per week even rondsjouwen. Behalve als het regent, dan sla ik het weleens over.'
'Wat bedoel je?' Luka keek hem vragend aan.
Jesper schoot in de lach. 'Laat maar, dat had ik niet moeten zeggen. Nou, ik ga. Ik zie je morgen wel op het veld of in de kantine.'
'Ja, dag. Veel plezier, hè!'
'Wie was dat?' Plotseling stond Julian bij hem.
'O, iemand van voetbal,' zei Luka. Hij had geen zin om meer te vertellen. Al pestte Julian hem niet meer, ergens was hij toch wantrouwig. Je wist maar nooit wat hij met die informatie deed.
'Voetbal!' lachte Julian uit de hoogte. 'Daar is toch niks aan! Hier, moet je zien wat ik gekregen heb. Mooi, hè?' Trots liet hij een soort van boek zien. Luka keek zijn ogen uit. 'Wat een mooi ding, maar waar is dat voor?' vroeg hij.
'Jij bent nog echt een kind,' bromde Julian. 'Voor de havo natuurlijk. Dan heb je een agenda nodig om je huiswerk in te schrijven. Iedereen die naar de havo gaat heeft een agenda en boeken en schriften en pennen nodig.'

Luka keek hem verward aan. Hij was de oudste thuis en wist dat helemaal niet. Julian had een broer die acht jaar ouder was, dus Julian had dat al eerder meegemaakt.
'Maar ... jij ging toch niet naar de havo?' Stiekem had hij zich daar toch wat op verheugd. Hij was bang dat Julian hem op die nieuwe school misschien opnieuw zou gaan pesten. Juf Els ging immers niet mee naar die school.
'Poeh, mijn vader is de baas, hoor. Juf Els helemaal niet. Dat is ook nog eens een invalster. Mijn vader wil dat ik naar de havo ga en daarom heb ik deze agenda vast gekregen. Hij is hartstikke duur,' vertelde Julian. 'Zo'n dure kan jouw moeder niet betalen!'
Luka keek hem aan. Zat hij hem nou te pesten of was het meer een mededeling? Nou ja. Niets van aantrekken, dacht hij. Hij had weer veel om over na te denken. Hoewel, eigenlijk helemaal niet. Hij had opeens een paar beslissingen genomen. Hij lachte naar Julian en opgewekt maakte hij het rijtje huizen af. Hij stapte net op zijn moeders fiets om naar huis te crossen, toen hij opeens een geluidje hoorde. Hij greep zijn mobiele telefoon en zag dat hij een sms'je gekregen had. Van Laura! Met een knalrood hoofd las hij: *Ik mag naar het vwo, dus ik ga naar het Landsma!*
Toen croste hij alsnog naar huis.
'Mamma,' riep hij meteen, 'mag ik alsjeblieft zaterdag na het voetballen naar de stad. Alleen? Alsjeblieft, mamma? Toe nou?'
Marte schoot in de lach. De jongen zag er zo opgetogen uit. Zo had ze hem al weken niet gezien. Niet zeuren nu, zei ze in stilte tegen zichzelf. Niet moeilijk gaan doen en vragen waarom.

'Mamma?'
'Dat is goed, jongen.'
'Mag het?' Hij greep haar arm en schudde hem heen en weer. 'Dank je wel, mamma. Weet je wat ik ga kopen?'
Ze lachte. Hij vertelde het zonder vragen. Blijkbaar voelde hij zich erg goed vandaag. Opeens schoot het haar te binnen. Logisch. Er was immers post geweest en hij zou de uitslag op school wel gehoord hebben. 'Nou?' vroeg ze nieuwsgierig.
'Een agenda voor de nieuwe school.'
'Een agenda?' Ze keek hem verrast aan. Ze wist hoeveel geld hij inmiddels had, daar kon hij wel twintig agenda's van kopen. 'Meer niet?'
'Ik ga de mooiste kopen die er is. En ik ga ook nieuwe voetbalschoenen kopen. Ik zag Jesper net en die gaat nu nieuwe kopen. Hij zei dat hij steeds uitgleed en dat doe ik ook. Hij koopt schoenen met noppen, dan glij je niet uit. Die wil ik ook. En dan is er vast nog genoeg geld over voor een koffiezetapparaat en ik heb ook schriften nodig en ...'
'Een koffiezetapparaat?' onderbrak ze hem. 'Wat moet je daarmee?'
Hij werd vuurrood. Had hij dat echt gezegd? Had hij zich versproken? 'Eh .. zei ik dat?'
'Ja, dat zei je.'
'Maar je bent toch bijna jarig?'
'Lieve schat, dan wil ik van jou geen koffiezetapparaat. Dat is veel te duur. Echt, daarvoor heb je niet zo hard gewerkt.'
'Maar die wil je zo graag,' zei Luka.
'Dat is waar en eh ... tja ... Huib wist dat ook en die vroeg laatst wat voor soort ik graag wilde, dus ik denk dat hij er

een voor me koopt. Lieverd, ik wil echt niet zo'n duur cadeau van jou. Jij hebt er hard genoeg voor gewerkt. Het is jouw geld en dat moet je aan jezelf uitgeven.'
Zijn gezicht betrok. Huib mocht wel zo'n apparaat kopen en hij niet? Het was toch zijn eigen geld? Oké, Huib had veel meer geld. Die werkte alle dagen en de hele dag, Luka werkte maar twee keer in de week een tot twee uur, maar toch. Het was zíjn moeder!
'Trouwens, gefeliciteerd,' zei Marte opgetogen.
'Waarmee?'
'Je mag naar het Landsma College. Dat wilde je toch graag?'
Hij knikte stralend.
'Er was een brief van school, maar toen je thuiskwam ...'
'... was je in gesprek met Meike en ze leek zo verdrietig, dat ik maar niks gezegd heb,' zei Luka.
'Dat heb je dan goed gezien, maar ik ben trots op je dat je de Cito-toets zo goed gemaakt hebt en dat ze zelfs adviseren dat je naar het vwo kunt. Natuurlijk mag je een mooie agenda kopen. Je hebt nog veel meer spullen nodig. Een tas en boeken. We gaan je binnenkort opgeven voor de nieuwe school en dan krijgen we wel een lijst met wat je nodig hebt en dan gaan we ook een keer samen de stad in om van alles voor je te kopen. Jij en ik met zijn tweeën. Goed? Maar als je vast een agenda wilt hebben, ga jij die morgen gewoon zelf halen.'
'Julian heeft al een agenda. Voor de havo, zei hij, maar hij mag niet eens naar de havo.'
'Een agenda heeft iedereen nodig die naar een hogere school gaat. Die is niet alleen voor het havo of vwo, hoor. Ik had vroeger ook een agenda op school.'

'Ja?' Hij lachte en liep opgewekt naar de kamer.
'Ga je zo de tafel dekken, Luka?'
'Ja!' riep hij, maar in de kamer zat Meike. Hij liep vrolijk op haar af. 'Zeg, ik zag Jesper net. Hij gaat nieuwe voetbalschoenen kopen. Met goeie noppen. Zodat hij niet uitglijdt. Ik wil ook ...'
'Hou je op!' zei Meike verontwaardigd.
Luka keek haar verward aan. 'Waarom?'
'Dat weet je best. Iedereen weet het.'
'Nou, ik niet. En ik wil ook zulke voetbalschoenen. Jesper zegt ...'
'Hou je kop!' gilde Meike. Woest kwam ze overeind en rende de kamer uit, de trap op naar haar kamer.
'Mamma, wat is er met Meike?'
'Och, laat haar maar even met rust. Ze is verdrietig omdat ...' Marte glimlachte. 'Tja, ze vond Piens broer Jesper nogal leuk, maar die heeft nu opeens een vriendinnetje. Dus voelt Meike zich erg teleurgesteld.'
'O.' Luka fronste zijn voorhoofd en dacht duidelijk na, ondertussen begon hij de tafel te dekken. 'Dus ze was verliefd op hem, maar hij niet op haar?'
'Ja.'
'Dat is niet leuk,' vond hij. En hij begreep dat hij juist nu niet over Jesper had moeten beginnen. Hij begreep ook waarom Jesper zo raar gereageerd had. Die wist het natuurlijk van zijn zus en was bang dat Luka het ook wist en boos op hem was. Hij begreep goed waarom Meike verdrietig was. Hij dacht aan Laura. Hij was al zo lang gek op haar, maar dat had hij nog nooit echt gezegd. Stel dat zij ook een vriendje kreeg, dan zou hij net zo verdrietig zijn als Meike. Hij ren-

de naar boven, haalde zijn mobiele telefoon uit zijn broekzak en stuurde met trillende vingers en een rood hoofd een sms'je terug naar Laura: *Misschien kunnen we samen naar het Landsma fietsen? Ik vind je namelijk heel leuk!*

**

'Maar waarom kom je dan niet, Huib?' vroeg Meike voor de tiende keer.
Huib zuchtte zichtbaar. Hij vond het al afschuwelijk dat hij moest liegen, maar als hij dezelfde leugen keer op keer moest vertellen, werd het hem eigenlijk te moeilijk. Meike stelde zijn geduld wel erg op de proef. Hij keek het meisje onderzoekend aan. 'Luister, Meike, ik zeg het nu voor de laatste keer en dan hebben we het er daarna niet meer over. Afgesproken?'
Ze reageerde niet, keek hem alleen maar smekend aan.
'Ik heb een vergadering van mijn werk en daar moet ik naartoe, dus ik kom niet naar jullie gymnastiekuitvoering.'
'Hebben jullie het daar nu nog over?' Marte kwam de kamer binnen met een dienblad vol bekers thee en frisdrank. 'Meike, ik dacht dat we dat besproken hadden. Huib komt niet en daarmee uit.'
'Maar alle vaders komen!' wierp Meike toch nog tegen. 'Zelfs Piens stiefvader.'
Huib draaide zijn hoofd af van ontroering, maar ze raakte wel de kern van zijn weigering om te komen. Hij wás haar vader niet en hij wilde, na overleg met Marte, ook voorkomen dat anderen dat zouden gaan denken. Een keer langs de lijn staan op het voetbalveld was onschuldig. Met elkaar uit

eten in een pannenkoekenrestaurant buiten de stad, viel niet zo op. Maar als hij met het hele gezin van Marte meeging naar de gymnastiekuitvoering zou het opvallen. Er zaten diverse klasgenoten bij de vereniging. Ouders zouden gaan praten. Daar stonden ze wel boven, daar ging het ook niet om. Maar als anderen aan Meike zouden vragen of ze een nieuwe vader had, moest ze daar eerst zelf over zijn geïnformeerd en dat zou pas gebeuren in het weekend dat ze samen uit zouden gaan. Het leek er echter al op dat Meike hem zag als haar vader, want waar sloeg haar opmerking anders op.
Marte keek haar dochter glimlachend aan. 'Huib is toch niet je vader. Huib is een vriend van ons en als hij moet werken gaat dat voor. Hij heeft echter wel een geweldige verrassing voor je.' Ze had willen wachten tot Luka thuis was, maar het leek haar opeens beter om het nu te zeggen om Meikes gedachten van de gymnastiekuitvoering af te leiden.
'O ja?' Ze keek hem nieuwsgierig aan.
'Ja,' zei Huib. 'Wat vind je ervan om een weekend met ons allen weg te gaan? Naar de Efteling of Slagharen of het Dolfinarium?'
Meikes mond viel open. Ze gaf niet eens antwoord. Ze keek hem alleen maar met een compleet verbaasd en ongelovig gezicht aan.
Marte schoot in de lach. 'Jij hebt er zin in.'
'Net als Pien?' vroeg ze uiteindelijk.
Marte herinnerde zich dat die naar een groot zwembad was geweest met glijbanen en een bubbelbad. Of de Efteling of Slagharen ook een zwembad hadden, wist ze eigenlijk niet.
'Zoiets, ja. De Efteling is een sprookjestuin, maar ze hebben er ook een achtbaan bijvoorbeeld. In Slagharen hebben

ze heel veel attracties en een reuzenrad. In het Dolfinarium wonen dolfijnen die kunstjes doen. Weet je wat? Ik zal eens informeren of ik folders kan krijgen, dan kunnen we die bekijken en daarna een beslissing nemen.'
'Ik weet nog iets beters,' zei Huib opeens. 'Ik neem Luka, Meike en Carijn zo mee naar mijn huis. Daar kunnen we op internet kijken. Dan kunnen we vandaag al een beslissing nemen.'
'Gaat Feiko niet mee?' Carijn, die stil in een hoekje had zitten spelen met haar poppen, had duidelijk toch het gesprek gevolgd.
'Feiko gaat wel mee uit,' zei Huib. 'Natuurlijk, die hoort er toch bij! Maar hij hoeft niet mee om op internet te kijken. Daar is hij nog te klein voor.'
Marte zag hoe Carijns ogen glinsterden. Het was duidelijk dat het idee om naar zoiets toe te gaan haar wel aansprak. Oorspronkelijk had Huib weer naar de zee gewild. Net zoals hij met haar, Marte, gedaan had. Maar Marte bleek het daar later niet echt mee eens te zijn. Natuurlijk zouden de kinderen het er prachtig vinden, maar ze zouden beslist ook in de zee willen zwemmen en dat kon niet in de meivakantie. Dan was het water nog lang niet warm genoeg. Het zou zelfs de vraag zijn of ze wel op het strand konden spelen. Begin mei kon de wind nog heel guur zijn. Dus had ze voorgesteld om naar een familiepark te gaan en Huib vond dat meteen een prima idee.
'Daar is Luka!' riep Meike. Ze rende op hem af. 'Luka, we gaan naar de Efteling.'
'Echt?' Zijn ogen straalden.
'Of naar de dolfijnen,' zei Carijn nu.

Luka keek van de een naar de ander.
'Met Huib,' vulde Meike aan.
Marte zag dat de glinstering in zijn ogen doofde en ze schrok. Het was dus waar wat ze al een poosje dacht. Hij wilde niets met Huib te maken hebben, ondanks dat hij hem mocht, want dat wist ze zeker. Wat was er toch met hem aan de hand? Net, toen ze hem de tuin in zag komen, had hij zo vrolijk geleken en toen hij het woord Efteling hoorde, was hij nog blijer geworden, maar bij het woord Huib ... Ze besloot snel iets anders te zeggen. 'Meike, weet je wie er wel meegaat naar jullie gymnastiekuitvoering? Oma Tilburg. Ze komt een paar dagen logeren, precies als jullie de uitvoering hebben.'
'Echt?' Meike glunderde.
Marte was blij dat ze dit met haar schoonmoeder had afgesproken. 'Oma vindt het geweldig om te komen kijken. Ze vindt het soms helemaal niet leuk dat ze zo ver van ons vandaan woont, dus die uitvoering laat ze niet schieten.'
'Hoor je dat, Carijn?' riep Meike opgetogen. 'Oma Tilburg komt kijken!'
Marte draaide zich glimlachend naar Luka. 'En? Heb je een agenda gekocht, Luka?'
Hij knikte enthousiast en hield een grote plastic tas omhoog. 'Ik heb een heleboel gekocht,' zei hij.
'Laat zien,' zei Marte.
Hij opende de tas en haalde er een doos uit. 'Dit zijn voetbalschoenen,' zei hij. 'Moet je die noppen onderop eens zien. Jammer dat ik ze vanmorgen nog niet had. Dan hadden we echt wel gewonnen! Ze zijn een beetje te groot, maar mamma, die mevrouw in de winkel zei dat ik dan maar een paar

sokken onder mijn voetbalkousen aan moest trekken. Na de grote vakantie passen ze vast wel en dan hoef ik alleen nog maar mijn voetbalkousen aan.'
'Wat een verstandige mevrouw, zeg.'
'Ja?' Hij keek haar ietwat onzeker aan, maar toen hij zag dat Marte het meende, lachte hij opgelucht. 'En ik heb een agenda gekocht,' ging hij verder. Hij haalde hem tevoorschijn. 'Laura was ook in de stad,' zei hij blozend. 'Ze ging ook een agenda kopen voor het Landsma College.'
'Gaat ze naar dezelfde school?' vroeg Marte belangstellend, maar zag dat Luka nog dieper kleurde.
'Ja, en we gaan samen fietsen, heeft ze gezegd.'
'Wat leuk!' vond Marte.
'Zij heeft een agenda met paarden gekocht. De mijne zit vol muziekmensen. Kijk maar.' Hij bladerde er vluchtig doorheen. 'Ik ga ook voor een iPod sparen en later voor een computer, dan kan ik zelf muziek downloaden. Dit heb ik voor Meike en Carijn gekocht.' Trots haalde hij twee grote lolly's onder uit de tas. Hij had ze al eerder gezien, maar ergens was het jammer van het geld, had hij toen gedacht. Vandaag niet, want hij wist dat Meike verdrietig was. Misschien fleurde dit haar op. Bovendien was hij zelf zo blij dat Laura met hem naar de nieuwe school wilde fietsen, dat die paar euro's er vandaag wel af konden. Dat hij voor Laura ook zo'n lolly had gekocht, vertelde hij niet. 'Voor Feiko heb ik een grote spek gekocht, die is niet zo gevaarlijk als een lolly,' zei hij. 'Mag hij die, mamma?'
'Jongen toch, wat verwen je iedereen.'
Luka sloeg zijn ogen neer. Iedereen? Ja, voor zijn moeder had hij ook wat gekocht, maar dat had hij snel in het schuur-

tje verstopt. Voor Huib was er echter niets.
Meike en Carijn grepen de lolly uit zijn handen en glunderden van plezier.
'Wat een grote!' riep Carijn.
'Lekker,' zei Meike met een duidelijk gelukkige zucht.
Luka was blij dat hij haar een plezier kon doen. Het was immers helemaal niet leuk dat Jesper een ander meisje als vriendinnetje gekozen had. Laura werd misschien wel zijn vriendinnetje. Hij vond het in elk geval geweldig dat ze samen zouden gaan fietsen. Die afspraak had hij alvast binnen. En met de lolly was ze ook erg blij geweest.
'Heb je nog wel geld over?' vroeg Marte.
'Zat! Ik had best nu wel een iPod kunnen kopen, maar ik wist niet welke de beste was. Mamma, we zouden toch een keer samen de stad in voor schoolspullen? Kunnen we dan ook samen naar een iPod kijken?'
'Afgesproken, jongen. Wil je nu een kop thee?'
'Nee, nee,' riep Meike. 'We gaan naar Huibs huis. We gaan uitzoeken waar we heen willen. Ik wil naar de Efteling. Jij toch ook, Luka?' Ze keek hem met een lief gezichtje aan en Luka lachte. Behalve dat hij moeite had met Huib, vond hij vandaag alles best. Hij had een afspraak met Laura!
'Waar is jouw huis?' vroeg Carijn aan Huib.
'Niet ver en ik ben bovendien met de auto. Zullen we dan maar, of wil je toch eerst een kop thee, Luka?'
'Gaan jullie maar,' zei Luka. Hij was best nieuwsgierig naar het huis van Huib, maar hij wilde niet mee. 'Ik ga naar boven, lekker mijn agenda bekijken.' En nog even naar Laura sms'en, dacht hij in stilte. Toch wel leuk, zo'n mobieltje.
'Maar dan kiezen wij iets wat jij niet wilt,' vond Meike.

'Ik wil alles wel,' zei hij. 'En ook een kop thee.'
Met de thee in zijn ene hand en de tas vol nieuwe spullen in de andere liep hij de trap op. Gelukkig was Feiko wakker en beneden bij zijn moeder. Zo had hij de kamer voor zich alleen. Feiko was een schat van een broertje, maar hij zat soms overal aan en stoorde hem bij zijn huiswerk en bij zijn gedachten. Hij zou erg blij zijn als er eindelijk boven op zolder een kamertje voor hem werd afgetimmerd. Dan had hij echt zijn eigen plekje. Want soms wilde hij graag even helemaal alleen zijn, zoals nu. Hij wilde alle bladzijden in zijn agenda bekijken. Hij kon het nog niet helemaal bevatten dat hij na de grote vakantie naar het havo ging, misschien zelfs het vwo. En het leukste was: niet alleen. *Meike en Carijn waren heel blij met de lolly en ik was blij je in de stad te zien*, sms'te hij opgewekt naar Laura en hoopte van harte dat ze een berichtje terug zou sturen.

HOOFDSTUK 15

'Gefeliciteerd, lief,' zei Huib toen ze eindelijk alleen waren. Hij trok Marte in zijn armen. Zijn lippen raakten de hare, gleden over haar neus en haar wangen, haar oogleden, om weer terug te komen op haar mond.

'Alweer?' lachte ze met trillende knieën door de reactie die haar lichaam voelde op zijn vederlichte aanraking.

'Ja, met al die kinderen van jou erbij en later ook nog je ouders en vrienden kan ik je niet feliciteren zoals ik dat zou willen. Maar nu hebben we nog een paar minuten voor onszelf.' Opnieuw zocht zijn mond de hare. Ze hield zich stevig aan hem vast, liet haar ene hand over zijn rug glijden, trok zijn overhemd uit de broek en gleed over de naakte huid van zijn rug.

Ze hoorde zijn ademhaling een moment stokken en glimlachte. Hij reageerde net zo op haar als zij op hem.

Het was een leuke dag geweest. Meteen 's morgens bij het wakker worden hadden de kinderen voor haar gezongen. Ze waren op het grote bed gekropen en zongen alle verjaardagsliedjes die ze kenden. Luka en Meike hadden haar stoel versierd met slingers en ze hadden ook allemaal een pakje voor haar. Daar zorgde Martes moeder altijd voor, maar deze keer zei Luka dat hij zijn cadeautje helemaal alleen gekocht en betaald had. 'Voor bij je nieuwe koffiezetapparaat,' had hij gemompeld. Marte was verrast geweest met de prachtige beker waarop gedrukt stond: voor de liefste moeder. 'Dank je, schat. Wat een prachtig cadeau.'

Tegen koffietijd waren haar ouders gekomen en de post had kaarten gebracht van familieleden die te ver woonden om langs te komen op een doordeweekse dag. Ook van haar schoonmoeder, die er, zoals altijd, een briefje van vijftig euro bij in had gestopt. Huib kwam meteen na zijn werk en had niet alleen een koffiezetapparaat bij zich, maar ook een grote bos bloemen en een prachtige dunne trui, die Marte meteen aantrok. 's Avonds waren haar ouders weer gekomen en ook Heleen en haar man. Ja, het was een feestelijke dag geweest en die zou nog feestelijker kunnen eindigen als ze Huib nu vroeg te blijven, maar ze deed het niet. 'Na de meivakantie,' zei ze.

'Wat na de meivakantie?' Hij liet haar los en keek haar vragend aan.

Ze schoot in de lach. 'Aha, je kunt nog steeds geen gedachten lezen? Het zou zo heerlijk zijn als je nu kon blijven, maar ik wil niet dat de kinderen je in mijn bed vinden, voordat we met hen gepraat hebben.'

'Dat spreekt toch vanzelf, lief. Ik ga zo gewoon weer naar huis, maar eerst help ik je met opruimen en heb ik nog een vraag.'

'Niks ervan. Dat is vijf minuten werk, want ik was morgenochtend pas af, als jij op je werk zit. Bovendien heeft mijn moeder het meeste al afgewassen. Een vraag?'

'Ja, en het is een zeer serieuze vraag. Heb je nog even?'

Ze keek hem geschrokken aan, want zijn gezicht stond opeens heel ernstig. Wat was er aan de hand?

Toen Huib zag dat ze van hem schrok, lachte hij. 'Het is wel ernstig, maar niet erg. Je kunt gewoon nee zeggen, hoor.' Hij haalde een A4'tje uit zijn jaszak en stak het haar toe. Ze bekeek het met grote ogen. Ze zag een foto van een ruim, vrijstaand huis met boven zeker vier slaapkamers en een zolder

waar misschien ook wel een slaapkamer was in een buitenwijk van de stad, die hooguit vijftien jaar oud was. Ze las de tekst en ontdekte dat er op zolder zelfs twee slaapkamers waren met dakkapel, dat er boven een badkamer met bad en tweede toilet was, dat er een ruime schuur was en een garage. Plus een aardige tuin rondom het huis. 'Wat bedoel je hiermee?'
Hij lachte, nam haar mee naar de bank, ging zitten en trok haar mee. 'Ik werk toch bij Volkshuisvesting. Dat betekent dat ik veel in de verschillende wijken op pad ben en vaak hoor ik als eerste dat een huis te koop aangeboden gaat worden. Als ik wil, kan ik dus eerder dan anderen reageren. Dit huis is gisteren te koop gezet en ik was er meteen weg van. Lijkt het jou niet wat om daar met ons allen te gaan wonen?'
Ze keek hem met grote ogen aan. Vervolgens keek ze weer naar het papier en las ze nogmaals de tekst. Er stond geen vraagprijs op, maar ze kon zo wel zien dat het huis erg duur moest zijn. 'Dat kan niet, Huib. Dat is te gek.'
'Waarom? Ik verkoop mijn huis en dan kopen we dit.'
'We? Ik heb geen cent om te investeren.'
'Dat weet ik en dat bedoelde ik ook niet, maar toch zeg ik met opzet we. Als we getrouwd zijn, is het van ons samen, dus moet jij het er wel mee eens zijn dat we dit kopen.'
'Maar ... Huib, het is fantastisch, al die ruimte en die slaapkamers, maar het is te duur.'
'Niet waar. Ik heb het allemaal uitgerekend en het kan heel goed. De hypotheekrente is op dit moment een stuk lager dan de rente die ik zelf elke maand betaal. Ik kan dus meer lenen voor dezelfde maandelijkse last. Bovendien heb ik een aardige overwaarde op mijn huis en die stop ik in dit huis.

Marte, dat is echt het punt niet. Het punt is: wil je hier met mij wonen?'
Ze schudde haar hoofd. 'Dit kan ik niet aannemen. Het is te veel!'
'Je ziet het echt verkeerd, lief. Om eerlijk te zijn vind ik allebei onze huizen te klein voor zo'n groot gezin. Ik heb maar twee slaapkamers en hier kan wel een kamertje voor Luka op zolder gemaakt worden, maar de meisjes moeten straks ook uit elkaar. Als Meike ook naar het voortgezet onderwijs gaat, heeft ze een eigen plek nodig om te leren.'
Marte knikte. Dat was wel zo, maar toch.
'Dit huis is groot genoeg. Er is zelfs nog ruimte om je schoonmoeder te laten komen logeren.' Hij lachte. 'Maar het is ook een soort van verzekering en zo moet je het zien. Als we trouwen en alles blijft goed, dan zijn we hier gewoon samen gelukkig. Maar stel dat je toch wilt scheiden. Jij hebt dan niets meer, omdat je hier de huur hebt opgezegd. Je hebt dan recht op de helft van dit huis. In elk geval van de opbrengst. Veel is dat niet, maar je kunt ervan verhuizen en een nieuw huurhuis inrichten. Als ik mocht komen te overlijden, kun je hier blijven wonen, want dan erf je mijn deel. Het is geen geschenk van mij, maar een verzekering voor jou.'
'En jij?' vroeg ze. 'Wat heb jij dan? Jij bent je huis kwijt.'
'Nee, hooguit wat geld. Jij hebt meer te verliezen, Marte. Jij geeft dit huis op en je uitkering. Ik ben maar alleen. Ik vind altijd weer een plekje om te wonen en ik heb een baan en verdien geld. Ik red me wel, maar jij? Als je niet terug kunt naar dit huis? Met vier kinderen? Jij hebt echt meer te verliezen dan ik. Dingen die niet met geld te betalen zijn. Dus laat me dit huis voor ons kopen. Ik bedoel: laten we zo snel

mogelijk gaan kijken of je er wilt wonen en laten we het dan doen!'
Ze zuchtte en gleed met een vinger over de foto. Het huis zag er fantastisch uit en wat zou het heerlijk zijn om zo veel kamers te hebben!
'Weet je, Marte, ik wil immers niet meer naar de toekomst kijken. Ik wil nu leven en nu gelukkig zijn en volgens mij kunnen we in dit huis heel gelukkig zijn!

**

Twee dagen later was het de dag van de gymnastiekuitvoering. 's Morgens kwam Martes schoonmoeder. Ze hadden elkaar inmiddels bijna een half jaar niet gezien en de twee vrouwen omhelsden elkaar hartelijk. 'Fijn dat u er bent,' zei Marte warm.
'En ik wil alles weten!' zei oma Tilburg, zoals iedereen haar noemde.
'Alles?'
'Ja, alles over Huib. Ik wil hem zelfs ontmoeten. Hij komt toch ook wel naar de uitvoering?'
Marte legde uit waarom Huib met opzet niet kwam. 'Maar ik kan hem voor morgenavond vragen. Dan bent u er ook nog, toch?'
'Heb je hem dan nog niet uitgenodigd? Je snapt toch wel dat ik hem wil ontmoeten.'
Marte keek verlegen naar beneden. 'Ik durfde hem niet aan u voor te stellen,' zei ze zacht,
'Rare meid,' zei oma Tilburg. 'Ik vind het juist zo fijn voor je, maar ik wil hem wel graag even keuren.'

'Keuren?'
Oma lachte. 'Ja, jij bent mijn liefste schoondochter, daar hoort een heel lieve man bij.'
Marte glimlachte. Ze had maar een schoondochter, logisch dat ze de liefste was. 'Oké, ik bel hem.'
Maar daar kwam ze op dat moment niet aan toe. De achterdeur ging open en Martes ouders kwamen binnen. 'We wilden oma uit Tilburg ook graag even begroeten. Het is zo lang geleden dat we haar gezien hebben.'
'Dan ga ik snel koffie bijzetten,' zei Marte en verdween de keuken in nadat ze de jassen van haar ouders in de gang had opgehangen. Wat leuk, dacht ze, dat haar schoonmoeder Huib wilde ontmoeten. Wat reageerde zij toch anders dan haar eigen moeder. Ze vulde het koffiezetapparaat, zette kopjes en koekjes klaar en schonk de kopjes vol nadat de koffie doorgelopen was. Ze nam het dienblad van het aanrecht. De deur was dichtgevallen. Met haar elleboog trok ze hem naar zich toe. Ze bleef doodstil staan. Ze hadden het over Huib!
'Dat jij zo enthousiast bent,' zei Martes moeder, 'dat begrijp ik dus echt niet. Die man pikt straks wel jouw kleinkinderen in.'
'Wat een rare opmerking,' was de reactie van Martes schoonmoeder. 'Voor mij verandert er niets, hoor. Ze blijven gewoon mijn kleinkinderen en ik blijf ze net zo vaak zien als nu. Veel te weinig, maar ja, dat komt door de afstand. Voor Marte vind ik het echter fantastisch. Ik ben al jaren alleen en dat is echt niet altijd even leuk. Elke dag kom ik in een leeg huis. Nooit is er 's avonds iemand aan wie ik van alles kan vertellen. Natuurlijk heb ik vriendinnen en zit ik

op clubs, maar soms maakt dat het nog erger. Dan heb ik een leuke morgen of avond gehad, kom ik weer in een leeg huis. Dat gun ik niemand. Ik ben dus echt erg blij dat Marte iemand gevonden heeft en daar komt bij: voor de kinderen vind ik het ook heerlijk. Het is veel gezonder voor ze om op te groeien met een vrouw én een man in huis. Oké, het kan niet altijd, maar het is wel gezonder. Ik gun mijn kleinkinderen een man in huis. Een nieuwe vader. En ik ben er volkomen van overtuigd dat Marte een goede man kiest. Zo zit Marte in elkaar en daar vertrouw ik op. Ik snap dus echt niet dat jij zo tegendraads doet.'
Marte zuchtte. Haar ogen waren volgeschoten na de geweldige woorden van haar schoonmoeder, maar het werd tijd dat ze naar binnen ging. De koffie werd koud. Toch wilde ze zo heel graag de reactie van haar moeder nog horen. Die was namelijk nog steeds niet om.
'Ach,' hoorde ze haar moeders stem. 'Je zult wel gelijk hebben, maar ik heb er moeite mee. Marte en haar kinderen zijn zo hecht sinds Ton er niet meer is. Ik ben bang dat dat kapot gaat.'
Marte fronste haar wenkbrauwen. Wat was dat voor een rare reden? Ze duwde de deur verder open en in de huiskamer viel een grote stilte. Ze zette de kopjes voor haar ouders neer, pakte het kopje van haar schoonmoeder en haarzelf op om opnieuw te vullen en ging even later bij hen zitten. 'Ik zal het maar ronduit zeggen,' zei ze nu. 'Eigenlijk wilde ik er nog even mee wachten, want we wilden het liever eerst aan de kinderen vertellen. Het gaat hen het meest van iedereen aan. Huib heeft me ten huwelijk gevraagd én hij heeft een schitterend huis gezien waar we ruimschoots met zijn

allen in kunnen wonen.'
Martes moeder keek haar volkomen verbouwereerd aan. Toen werd ze kwaad. 'En dat wilde je niet vertellen?' riep ze uit. 'Waar staat dat huis? Was je van plan uit ons leven te verdwijnen?'
'Hoe kan ik ooit uit uw leven verdwijnen, ma? Ik ben uw dochter en u bent mijn moeder. Het staat gewoon hier in de stad en inderdaad, ik wilde het nog niet zeggen, omdat we eerst met de kinderen wilden praten. We wilden hen vragen wat ze ervan vinden. Zíj zijn het belangrijkste. Ik bedoel: hun wel en wee is het belangrijkste. Natuurlijk ben ik zelf ook belangrijk, maar zij komen op de eerste plaats. Het is alleen wel zo, dat het leven voor mij een stuk lichter wordt, als ik me gelukkig voel. Denk daar maar eens over na.' Marte pakte haar kopje en nam een slok van de koffie. De anderen volgden zwijgend haar voorbeeld. Oma Tilburg schudde haar hoofd. 'Ik begrijp er niets van,' zei ze aarzelend. 'Wat kan er nou op tegen zijn?'
'Ik weet het wel,' zei Marte opeens. 'Ma is bang dat ze door een relatie voor mij niet meer op de eerste plaatst staat. Ze heeft me enorm opgevangen na Tons overlijden. Zonder haar had ik het ook niet gered.' Ze richtte zich tot haar moeder: 'Daar heb ik u vaak genoeg voor bedankt, ma. Ik had u destijds echt heel hard nodig en ik zal u altijd nodig hebben, maar het wordt tijd dat ik weer helemaal op eigen benen ga staan en dat wilt u niet.'
Martes moeder zweeg, maar haar vader schraapte zijn keel. 'Ik ben wel erg blij voor je en ik ben vooral blij dat jullie gaan trouwen en niet samenwonen. Dat betekent dat hij het echt meent en dat doet me goed. Gefeliciteerd, meisje. Ik

hoop dat je heel gelukkig wordt!'

**

De gymnastiekuitvoering werd een succes en gelukkig vergaten Meike en Carijn dat Huib er niet bij was. Ze vonden het geweldig dat er drie grootouders kwamen kijken. Dat was iets wat anders nooit voorkwam. De avond erop vertelden ze honderduit aan Huib, die moest beloven dat hij er de volgende keer wel bij zou zijn.
Oma Tilburg zat glimlachend toe te kijken hoe Huib met haar kleinkinderen omging en ze wist dat ze gelijk gehad had: Marte had een goede keus gemaakt. Aan hem vertrouwde ze haar kleinkinderen met liefde toe.
Toen de kinderen in bed lagen en de volwassenen met een kop koffie in de kamer zaten, zei Martes schoonmoeder glimlachend tegen Huib: 'Ik kan zien dat je echt om ze geeft. Dat doet me goed. Als ik zie hoe enthousiast de meisjes tegen jou doen, word ik gewoon warm vanbinnen. Ik vond al die tijd al dat er een nieuwe man in hun leven moest komen, al heb ik dat nooit gezegd, want zoiets kun je niet dwingen. Marte moet er ook aan toe zijn. Maar nu het zover is, ben ik echt blij dat jij het geworden bent.'
Huib leek te kleuren door dit geweldige compliment. 'Ik zal ook goed voor hen zorgen,' beloofde hij haar. 'Dat zal niet moeilijk zijn, want ik houd echt van ze.'
'Alleen Luka ...' zei oma aarzelend.
'Ja, met hem moeten we echt eens praten,' viel Marte in. 'En eigenlijk zo snel mogelijk. Toch wil ik zo graag eerst een weekend weg. Dan kan hij Huib op een andere manier

zien. Misschien helpt dat. Het gekke is, dat hij Huib erg leuk vindt, maar tegelijk wil hij niets met hem te maken hebben. Althans dat gevoel heb ik.'
'Misschien is hij bang dat hij zijn echte vader gaat vergeten als hij een nieuwe krijgt,' zei oma.
Marte zuchtte zachtjes. 'Ik hoop dat hij aan kan geven wat er is. Zodat we er wat aan kunnen doen. Als dat het is, wat u net zei, dan moeten we daar gewoon op letten. Ik was ook zeker van plan om Tons foto altijd in de huiskamer te laten staan. Misschien vindt Huib dat niet prettig,' ze wierp hem een snelle blik toe, 'maar Ton is de echte vader van de kinderen. Hij zal altijd bij hen horen.'
Martes schoonmoeder keek haar warm aan. Haar ogen leken vochtig geworden. 'Wat een lief gebaar, meisje. Daar maak je me echt blij mee.' Ze zuchtte zacht. 'Ik mis hem nog zo. Ik weet dat jij verder moet en dat wil ik ook. Je bent te jong om alleen te zijn. Maar dit doet me goed.' Ze lachte. 'Nu je moeder nog. Volgens mij is ze jaloers op Huib. Dat hij straks meer over jou weet dan zij. Ik denk wel dat je gelijk hebt, dat ze bang is om niet meer op de eerste plaats te staan. Nu vertel je je nieuwtjes natuurlijk het eerst aan haar. Straks aan Huib. Maar ze heeft echt ongelijk. Het is juist geweldig dat je iemand naast je hebt staan in het leven.'
'Ma draait wel bij,' zei Marte. 'Als ze ziet hoe gelukkig we als gezinnetje zijn, zal ze wel moeten toegeven dat het een goede beslissing was.'

**

Huib parkeerde de auto bij Marte voor de deur. Meike en Carijn renden gillend naar buiten. Feiko kwam er net zo opgetogen achteraan al wist hij niet wat er ging gebeuren. Luka stond wat stil in de kamer voor het raam naar zijn zusjes te kijken. Hij zag hoe ze Huib begroetten en hoe die ze lachend optilde en even knuffelde. Hij wilde niets liever dan ook zo door Huib begroet te worden, maar hij kon er niet aan toegeven. Natuurlijk was het geweldig dat ze straks naar de Efteling gingen. Hij had er zo veel over gehoord. En al zei zijn moeder dat hij er vroeger al eens geweest was toen zijn vader nog leefde, hij wist er niets meer van. Hij was benieuwd hoe het eruitzag en wat voor attracties er allemaal waren.
Hij schrok van zijn mobieltje dat onverwachts geluid maakte. Hij wist dat het van een sms'je was, maar wie stuurde hem nu zomaar een bericht? Nieuwsgierig keek hij ernaar en hij zag dat het van Laura kwam. *Veel plezier en goede reis!* stond er. Hij werd rood van blijdschap. Wat lief van haar! Snel toetste hij een berichtje terug. *Dank je en jij ook, hoor.* Hij wist dat zij in de meivakantie een paar dagen bij haar opa en oma ging logeren die vlak bij zee woonden. Dat deed ze meestal, had ze hem laatst verteld toen ze opnieuw bij zijn moeder was geweest met de vraag of ze een bloesje wilde naaien. Ondanks dat Cindy haar had uitgelachen, had ze toch een nieuw lapje stof gekocht. Met juf Els voor de klas durfde ook Laura veel meer. Glimlachend borg hij zijn mobiele telefoon weer op. Al was het een klein berichtje, hij koesterde en bewaarde het.
'Kom je, Luka?' Marte riep vanuit de deuropening. Haar wangen waren rood en haar ogen straalden. Luka vond het

heerlijk haar zo te zien, maar soms deed het hem pijn als hij eraan dacht dat het door Huib kwam. Waarom was hij toch in hun leven gekomen? Voor die tijd hadden ze het toch goed samen? Hij verstoorde alles. Tegelijk vond hij hem zo lief en was hij zo blij geweest dat hij die ene keer op het voetbalveld stond.
Hij zag ook wel hoe blij Meike, Carijn en Feiko met hem waren, maar het kon niet, het mocht niet!

Het was een dik uur rijden naar de Efteling en Luka had het af en toe flink benauwd met zijn zussen en broertje samen op de achterbank. Gelukkig stopte Huib onderweg een keer en mochten ze even uitstappen. Marte had drinken en een krentenbol meegenomen voor hen, maar de meisjes hadden daar nauwelijks tijd voor. Die wilden maar een ding: doorrijden.
'Maar we gaan morgen pas naar de Efteling,' zei Marte. 'Vanavond gaan we alleen maar naar ons huisje.'
Dat was ook zoiets. Ze zouden naar een bungalowpark gaan, waar ze een huisje gehuurd hadden voor twee nachten. Met een open haard, had mamma verteld en midden in het bos. Misschien zagen ze wel eekhoorntjes! Het was allemaal zo spannend en zo opwindend, toch kon hij maar niet vrolijk worden. Feiko trapte hem. Luka wist dat het per ongeluk ging, omdat de kleine jongen klem zat, maar hij werd er toch boos om. 'Kun je niet uitkijken!'
Feiko begon meteen te huilen en Luka schaamde zich.
'Stil maar, het is al goed.' Hij sloeg beschermend zijn armen om zijn broertje heen en zo reden ze door tot ze bij het huisje waren.

De hele tijd werd hij heen en weer geslingerd tussen blijdschap en verdriet. Vanaf het moment dat ze aankwamen tot zondagmiddag. Hij genoot net als zijn zusjes en broertje van het grote zwembad bij het bungalowpark. De Efteling was echt helemaal te gek. En wat had hij moeten lachen om Feiko die zijn ogen uitkeek naar de kabouters die riepen: 'Kleine boodschap!' en met hun duim in de richting van de toiletten wezen. De achtbaan was spannend en eng geweest, maar hij was er drie keer ingegaan. Roodkapje en de fakir en Doornroosje – het was allemaal prachtig geweest en hij genoot volop, tot hij Huib zag en vooral de blik in diens ogen, want hij zag dat Huib begreep dat hij verdriet had. Dan sloeg zijn stemming om van vreugde naar verdriet. Hij kon het niet verklaren, maar hij voelde zich diep ellendig, hij had pijn, maar waarom? Hoe kwam het dat Huib hem dat gevoel steeds gaf?
De meiden leken nergens last van te hebben. Die gilden het voortdurend uit van plezier. Ook zijn moeder en Feiko hadden steeds plezier. Alleen Huib kon soms stil en ernstig kijken. Luka wist dat het door hem kwam. Dat maakte het extra moeilijk, want dan wilde Luka naar hem toe rennen en bij hem huilen, maar dat kon dus juist niet, omdat hij Huib was.

Op zondagmorgen gingen ze nog een keer naar het zwembad. Meike en Carijn gleden gillend van de grote glijbaan af. Huib ving hen onderaan op. Marte ging samen met Feiko van de glijbaan en ook hen ving hij op. Luka zat op het randje van het zwembad toe te kijken. Zijn benen zwaaiden heen en weer, zijn gezicht stond ernstig.

Marte klauterde het bad uit, bracht Feiko naar het kinderbadje en ging naast Luka op de rand zitten. 'Wat is er toch, jongen? Vind je het hier niet leuk?'
Hij knikte. 'Jawel, het is hier prachtig!'
'Waarom kijk je dan zo verdrietig?'
Hij haalde zijn schouders op. Het speet hem dat ze het aan hem gezien had, want hij wilde het haar niet vertellen, hij wilde haar niet ook verdrietig maken. 'Er is niets,' zei hij dapper. Hij kwam overeind. 'Ik ga ook van die hoge glijbaan af.' Hij stond op en rende weg, klom omhoog, maar zag niet dat Huib hem in de gaten hield en onderaan de glijbaan stond. Toen hij in het water plonsde en kopje-onder ging, voelde hij sterke armen die hem opvingen en omhoogtrokken, boven het water uit. Twee vrolijke ogen keken hem lachend aan. Luka kon niet anders dan teruglachen naar Huib.
'Nog een keer,' zei Huib.
Luka klauterde het zwembad uit en haastte zich naar boven. De glijbaan ging echt geweldig! Maar opeens realiseerde hij zich dat Huib onderaan stond en voelde hij zich weer verdrietig. Zo was het het hele weekend al gegaan! Hij stampte op de trap en draaide zich om. Hij zou niet naar beneden glijden. Onder aan de trap botste hij tegen Meike op. 'Leuk is het hier, hè?'
Hij knikte en probeerde zo overtuigend mogelijk te lachen.
'Weet wat je wat ik wil?' zei ze lachend.
'Nou?'
'Ik wil dat Huib onze pappa wordt.'
Luka zweeg. Hij wist helemaal niets terug te zeggen. Keek haar alleen perplex aan.
'Hé, hoor je me niet?' riep Meike, maar Luka wilde het niet

horen. Hij liep het zwembad uit.
'Mamma, mamma, Luka loopt weg. Hij is boos.'
'Waarom? Wat is er gebeurd?'
'Ik zei dat ik wil dat Huib onze pappa wordt en toen liep hij weg.'
Marte viel stil. Met grote, ernstige ogen keek ze naar Huib die juist op haar afkwam met Carijn aan de hand.
'Ik moet naar Luka,' zei ze.
'Goed, ik hou ze hier wel in de gaten.'
Maar toen Marte hem vond, rillend in een stoel voor hun huisje met alleen zijn zwembroek aan, wilde hij niet met haar praten.
'Maar je moet met me praten,' zei ze. 'Ik wil weten wat er is. Je bent mijn zoon en als je verdriet hebt of boos bent, wil ik dat weten.'
Hij schudde zijn hoofd en fluisterde: 'Ik kan het niet zeggen, mamma.' Ik kan je geen verdriet doen, dacht hij er in stilte achteraan.
'Heeft het met Huib te maken?' vroeg ze toch nog, maar hij schudde zijn hoofd. 'Huib is een toffe man!' En dat meende hij werkelijk.

HOOFDSTUK 16

Terneergeslagen kwam Marte terug in het zwembad. Ze vertelde Huib dat Luka niet met haar wilde praten en dat ze niet wist wat ze met hem moest. 'Als hij zo doorgaat, kunnen we de kinderen straks het grote nieuws niet vertellen,' zei ze.
'Dan ga ik met hem praten,' zei Huib, 'want ik denk dat ik de oorzaak ben. Dat moet hij me dan maar vertellen.'
Ze knikte aarzelend.
'Ik neem hem mee naar het restaurant voor een praatje, dus als je terug wilt naar het huisje, kan dat.'
Hij vond Luka in het huisje. Hij trok net de dikste trui die hij bij zich had over zijn hoofd.
'Hoi,' zei Huib.
Luka schrok.
'Wij moeten eens praten,' zei Huib en aan de klank in zijn stem te horen, duldde hij geen tegenspraak. 'We gaan even naar het restaurant, bestellen een drankje en dan moeten we het over jou en mij hebben.'
Luka zei niets, maar trok wel zijn jas aan. Stil liep hij achter Huib aan naar het restaurant.
'Pak je zelf iets te drinken? Kies maar uit waar je zin in hebt.'
Luka pakte een flesje chocolademelk en liep achter Huib aan naar de kassa.
'Een koffie en een chocolademelk?' vroeg de dame achter de kassa.
'Ja.'
'Moet hij geen glas?'
Huib keek om. 'Of wil je een rietje?'

'Nee, nee, een glas.' Opeens had Luka het gevoel dat hij wel erg kinderlijk over zou komen met een rietje en tenslotte was hij hier met Huib, een grote, volwassen man. Hij rechtte zijn rug en keek alsof hij dagelijks in een restaurant kwam.
'Pak je dat zelf even dan?' vroeg de dame. 'Ze staan daar.'
Met een glas en de chocomel liep hij naar het tafeltje bij het raam dat Huib uitgekozen had.
'En?' vroeg Huib vriendelijk lachend, 'vermaak je je een beetje? Vind je het hier leuk?'
'Ja, prachtig! Alles is even leuk.'
'Fijn, daar ben ik blij om. Maar waarom ben je dan verdrietig?'
Luka zweeg, keek naar buiten waar de zon liet zien dat het voorjaar was.
'Meike en Carijn hebben alleen maar plezier en Feiko is zo enthousiast over alles.'
'Ik ook. Dat zeg ik toch,' zei Luka enigszins verwijtend. 'Het is hier supertof. Mooier dan ik gedacht had.'
'Maar toch?'
Weer zweeg Luka.
'Het ligt aan mij,' zei Huib toen.
Luka durfde hem niet aan te kijken.
'Je vindt mij niet leuk.'
'Heus wel,' fluisterde Luka.
'Maar?'
Opeens schoten Luka de woorden van Meike te binnen, de woorden waarom hij weggerend was: ik wil dat Huib onze pappa wordt. Hij durfde Huib nog steeds niet aan te kijken, maar zacht zei hij: 'Ik hoef geen nieuwe pappa.' Zo, het hoge woord was eruit. Nu zou Huib wel boos worden of verdrie-

tig en mamma zou zeker verdrietig worden, maar hij kon het niet langer voor zich houden.
'Waarom niet?' vroeg Huib slechts.
Luka keek hem aan, zag alleen maar de zachte, lieve blik in zijn ogen. Geen boosheid, geen verdriet, alleen maar warmte, vertrouwd en veilig. 'Pappa's gaan dood, weet je en dat is niet leuk. Ik hoef alleen maar een mamma!' Hij was zelf verrast door zijn antwoord, dat had hij zo niet bedacht, maar opeens begreep hij het. Opeens had hij door waarom hij zich steeds zo afzijdig hield en waarom hij niet blij wilde zijn met Huib, terwijl hij hem zo aardig vond. Het was de angst om Huib, de angst dat hij ook dood zou gaan. Luka wist dat hij dat niet aan zou kunnen. Hij kon soms nog huilen om zijn eigen vader. Hij zou ook huilen om Huib.
'Niet alle pappa's gaan dood,' wierp Huib zacht tegen. De jongen ontroerde hem. 'De meeste blijven zelfs leven tot ze heel oud zijn.'
'Mijn pappa's gaan dood,' zei Luka nadrukkelijk. Hij keek hem aan met een blik van nou jij weer. Hij voelde zich opeens sterker, omdat hij nu zelf wist wat er met hem aan de hand was.
'Maar jouw echte pappa word ik nooit,' gooide Huib het nu over een andere boeg.
Luka keek hem verrast aan.
'Nee, dat is onmogelijk. Ton was jouw echte vader, zo'n vader kan ik niet worden. Je was en bent zíjn kind. Ik kan je wel zo lief vinden als mijn eigen kind, maar toch blijf je het kind van Ton.'
'Dan word je mijn stiefvader en ik wil geen stiefvader,' riep Luka.

‘Waarom niet? Jij wordt dan mijn stiefzoon.’
‘Hè?’
‘Ja, zo heet dat officieel.’
‘Maar ik vind stiefvader een vreselijk woord.’
Huib lachte. ‘Ik vind stiefzoon net zo vreselijk. Maar luister, hoe het ook verder gaat, wat we ook doen – of ik nou bij jullie kom wonen of dat we ergens anders gaan wonen, of je moeder en ik misschien zelfs gaan trouwen – jij wordt niets van mij. Geen familie, niets. Ja, stiefzoon, zo kun je het noemen, maar niet zoon. Je blijft gewoon het kind van Marte en Ton. Ik word je vader niet. Je zou me wel als je vader kunnen zien en je zou me zelfs wel zo mogen noemen, maar eigenlijk ben ik alleen maar de vriend of de man van je moeder. Meer niet.’
‘Meer niet?’
‘Nee.’ Huib keek de jongen aan. Hij zag in zijn ogen dat hij het liefst tegen hem aan zou kruipen voor wat warmte en liefde, maar hij zag ook de diepe, grote bijna onmenselijke angst. Hij voelde zijn hart overlopen van warmte voor dit joch. Wat wilde hij hem graag nog een gelukkige en onbezorgde jeugd geven na wat hij had meegemaakt.
Opeens schudde Luka zijn hoofd. ‘Nee, ik wil het niet. Meike wil jou graag als pappa en Carijn vast ook wel. Als je dan bij ons komt wonen, word je dus onze pappa en ik wil geen pappa meer.’
Huib zuchtte. Hij vond zijn eigen redenatie zo goed en logisch in elkaar zitten, maar hij had de jongen dus toch niet kunnen overtuigen. ‘Je weet dat ik zelf een zoon gehad heb. Emiel heette hij. Hij is doodgegaan en daar ben ik nog steeds verdrietig om, Luka. Ik weet hoeveel pijn het doet

als iemand doodgaat van wie je zielsveel houdt. Maar moet ik dan altijd alleen blijven, zonder kind? Mag ik dan nooit meer van een ander kind houden? Ik hield vreselijk veel van Emiel en om eerlijk te zijn ben ik ook van jou gaan houden. Is dat dan dom? Jij kunt ook zomaar morgen dood zijn en dan ben ik weer verdrietig.'
'Ik toch niet. Ik ga morgen niet dood,' zei Luka verward.
'Waarom niet?'
'Ik ben niet ziek. Ik ben gezond.'
Huib zei niets, wachtte rustig tot Luka doorhad wat hij zei.
'Pappa was ook niet ziek,' fluisterde hij met tranen in zijn ogen.
'Precies, jongen. Iedereen kan iets ergs overkomen, maar ... verreweg de meeste mensen gaan pas dood als ze oud zijn.'
'Dat weet je niet!' riep Luka opeens fel uit. Hij stond op en sloeg Huib op de borst. 'Dat weet je niet! Dat kun je niet weten!'
'Jongen, toch.' Huib trok hem tegen zich aan en dat was te veel voor Luka. Hij begon wild te snikken. Zijn tengere schouders schokten ervan.
Huib hield hem stevig beet, wachtte geduldig tot de huilbui wat afzakte en zette hem toen weer op zijn stoel. Hij wees naar het glas chocolademelk. 'Neem een slokje.'
Luka gehoorzaamde zuchtend.
'Laatst,' begon Huib aan zijn verhaal, 'was er een actie van kroonkurken op bierflesjes.'
Luka keek bevreemd op. Waar sloeg dit nou op?
'Zelf ben ik niet zo'n bierdrinker, maar mijn collega's op het werk wel. En ze hadden het er elke dag over. Ze kochten extra veel flesjes bier en vervolgens dronken ze er ook

extra veel. De fabrikant had namelijk gezegd dat er onder een paar kroonkurken een prijs verstopt zat. Als je een letter vond ... Eh, je weet toch wat een kroonkruk is?'
'Natuurlijk!' riep hij verontwaardigd. 'Die zat net ook op mijn flesje chocolademelk.'
'Ja, stom van mij. Je hebt helemaal gelijk. Nou, aan de binnenkant van die dop kón een zwarte letter staan en dan had je een prijs gewonnen. Je kon met die dop naar de winkel en daar keken ze wat de letter waard was. Maar, had de fabrikant verteld, er waren ook vijf doppen waar een gouden letter op stond en als je die had, kreeg je vijfduizend euro.'
'Wow!' riep Luka uit.
Huib lachte. 'Stel dat jij zo oud was als ik en bier lekker vond. Wat zou jij dan doen?'
'Elke dag een krat kopen, natuurlijk.'
'Precies, dat deden die mannen op mijn werk ook en op een dag was er een die een zwarte letter gevonden had. Geen gouden letter, maar hij kreeg er toch nog honderd euro voor.'
'Tof!'
'Ja, tof!' lachte Huib. 'Eén man van de acht mannen die een zwarte letter had, na al die kratten die ze samen gekocht hadden. Wat zou je nou doen, Luka? Als je hém was, die man die die letter gevonden had. Zou je dan nog steeds kratten gaan kopen?'
'Poeh, dat is moeilijk,' vond Luka die er eens goed voor ging zitten. Hij vond dit wel een grappig onderwerp om over te praten. 'Het zou wel heel toevallig zijn als je twee keer een flesje met een letter koopt, dus dan kun je net zo goed stoppen met kopen. Maar als je geen flesjes meer koopt, weet je ook zeker dat je nooit de gouden letter vindt.'

Huib lachte. 'Het is duidelijk waarom ze vinden dat jij naar het vwo kunt. Je bent echt een slimme jongen.'
Luka glunderde.
'Maar je zei dus dat het wel heel toevallig zou zijn als hij twee keer een letter vindt. Waarom?'
'Omdat er onder de meeste doppen toch geen letter zat? Je zei dat acht mannen kratten hadden gekocht en er was er maar een die een letter vond.'
'Ja, je hebt goed geluisterd en ze kochten meerdere kratten per week, Luka.'
'Nou dan! Dan is het toch toevallig?'
'Ja, maar tegelijkertijd heb je gelijk, dat je nog steeds kans maakt om weer een letter te vinden, zelfs een gouden. Dus wat moet je doen?'
'Chocolademelk gaan drinken,' zei Luka nuchter en pakte zijn flesje meteen op om zijn glas bij te vullen. 'Dan heb je dat probleem tenminste niet.'
Huib schoot in de lach. Dat antwoord had hij beslist niet verwacht. 'Wat ben jij slim en grappig, zeg! Prachtig! Maar je hebt gelijk en dat wilde ik nou precies duidelijk maken, Luka.' Huib keek weer ernstig en pakte Luka's ene hand. 'Het is echt waar dat de meeste mensen pas dood gaan als ze oud zijn. Dat jouw vader en mijn zoon zijn overleden toen ze nog jong waren, dat kun je vergelijken met die ene letter die die man vond. Hij had al talloze flesjes geopend voor hij eindelijk de letter vond. Die kans was al klein. Dat hij er nóg een zou vinden, die kans was helemaal klein en puur toeval. Als je weer een vader zou hebben en ik een zoon, is de kans ook heel erg klein dat ze sterven. Ook dat is puur toeval. Het kan, maar de kans is vele malen groter dat het

niét gebeurt. En daarom moeten we gewoon chocolademelk gaan drinken. Net doen alsof er geen bierflesjes met letters zijn. Gewoon genieten van onze chocolademelk, of nee, gewoon genieten van elkaar. Ik wil graag blij zijn met jou en met je meeleven, naar je voetbalwedstrijden kijken en andere dingen samen met je doen. Ik wil niet denken aan die kleine kans die er wel is, maar echt heel klein is. Ik wil gewoon alleen maar blij zijn en, Luka, ik hoop dat jij dat ook een keertje kunt.'
Luka keek hem met grote ogen aan. Hij reageerde niet, maar Huib zag zijn hersens werken. Hij glimlachte en stond op. 'Kom, ik ga naar je moeder en de andere kinderen. Denk er nog maar eens over na. En als je er weer over wilt praten of nog meer wilt weten, moet je het altijd zeggen. Dat zou ik heel fijn vinden.'

**

Luka dronk zijn glas leeg en stond ook op. Hij liep het restaurant uit, maar wist niet waar hij heen zou gaan. Naar het huisje? Ze zouden aan het eind van de dag terug naar huis, omdat Huib de volgende dag moest werken. Of zou hij nog even bij het zwembad gaan kijken? Opeens zag hij zijn moeder lopen. Ze stak haar hand naar hem op en kwam op hem af. 'Schat,' zei ze toen ze bij hem was, 'wil je nu ook nog even met mij praten?'
Hij zuchtte, maar knikte.
'Zullen we ergens op een bank in het zonnetje gaan zitten?'
Hij liep met haar mee en ging naast haar zitten.
Ze draaide zich naar hem toe. Ze pakte zijn hand en glim-

lachte. 'Je bent altijd mijn grote zoon geweest. Je was en bent heel belangrijk voor me, daarom wil ik ook niets doen wat jij niet wilt.'
Hij fronste zijn wenkbrauwen en keek haar vragend aan.
'Je hebt allang door dat ik Huib erg graag mag. In het begin dacht ik dat jij hem ook mocht. Daar was ik heel blij om. Later trok je je terug. Huib heeft me net in een paar woorden verteld waar jij bang voor bent. Ik vind het jammer dat je het me niet zelf verteld hebt. Ik wil namelijk graag overal over praten met je. Ik ben je moeder! Maar oké, sommige dingen zijn misschien ook wel erg moeilijk om over te praten. Nu wil ik je iets vragen ...'
Luka trok zijn hand terug en ging rechtop zitten. 'Mamma,' zei hij en voelde zich vreemd genoeg groter dan hij eerder was. Alsof het gesprek met Huib hem had doen groeien. 'Ik kon het je niet zeggen omdat ik je geen verdriet wilde doen. Je hebt al genoeg verdriet gehad. Ik wist best hoe leuk jij Huib vindt. Als ik dan zou zeggen dat ik hem niet wil, zou ik jou verdriet doen en dat wilde ik niet.'
'Ach, schat.' Ze stak haar hand weer naar hem uit, maar bedacht zich.
'Daarom heb ik je ook nooit van het pesten verteld,' ging Luka verder. 'Ik wilde je geen verdriet doen. Ik zag wel dat je soms moest huilen omdat pappa er niet meer was.'
'Lieve jongen.' Ze zuchtte. 'Ik wist niet dat je dat gemerkt had.'
'Natuurlijk, zeg. Je bent mijn moeder.'
Ze knikte en begreep dat Luka gevoeliger geworden was door het overlijden van zijn vader dan ze doorgehad had. Alsof hij een extra antenne had gekregen voor emoties. 'Het

spijt me. Ik wilde niet dat je zag dat ik verdrietig was.'
'Waarom niet? Dat was toch logisch? Ik was soms ook heel verdrietig.'
'Misschien hadden we er toch meer over moeten praten samen, dan hadden we samen verdrietig kunnen zijn.' Ze keek hem aan, haar grote jongen die op zijn manier zo zijn best gedaan had haar te beschermen en sterk te zijn. 'Ik hou van je.'
'Ik ook van jou,' zei hij fel.
Marte glimlachte. 'Ik wil je iets vragen over Huib. Als ik doe waar ik zin in heb, dan ga ik met hem trouwen en wordt hij mijn nieuwe man.'
'Trouwen? Net als met pappa?'
'Ja.'
'Vind je Huib liever dan pappa?'
Marte keek hem nadenkend aan. 'Nee,' zei ze toen. 'Niet liever. Even lief. Hij maakt me net zo blij als pappa deed.'
'Moet pappa's foto dan de kamer uit?'
'Nooit, Luka, die foto hoeft nooit de kamer uit. Hij was mijn eerste man. Ik was heel gelukkig met hem en ik hield van hem. Die foto mag daar altijd blijven staan, want ik wil pappa ook nooit vergeten.'
'En waar moet hij slapen?'
'Bij mij in bed, Luka.'
'Op pappa's plek?'
Ze zag plotseling de pijn in zijn ziel branden in zijn ogen. Hij mocht dan bijna twaalf zijn en over een aantal maanden naar het voortgezet onderwijs gaan, hij was door het verlies van zijn vader nog steeds een heel kleine jongen die beschermd moest worden en veiligheid nodig had. Ze zuchtte diep. 'Ja,

Luka, op pappa's plek, maar weet je, ik denk dat pappa dat wel goedvindt. Ik denk dat pappa blij is dat er eindelijk weer iemand op die plaats ligt.'
Luka keek peinzend voor zich uit. Hij voelde zich stom. Hij had immers wel gemerkt dat Huib bij zijn moeder op de kamer sliep in het vakantiehuisje. Dat had hem al genoeg moeten zeggen, maar hij had er niet bij nagedacht. Ze waren op vakantie en dan was alles anders, maar thuis – in hun eigen huis – in het bed van zijn eigen ouders?
'Maar,' ging Marte verder, 'ik ga alleen maar met Huib trouwen als jij dat goedvindt. Als jij het niet wilt, doe ik het niet.'
Luka draaide zijn hoofd naar haar toe en keek of ze meende wat ze zei. Hij zuchtte. 'En als ik het niet wil, dan trouw je dus niet en dan maak ik je toch verdrietig.'
'Schat, daar gaat het niet om. Jij en ik en je zussen en broertje, wij horen bij elkaar. We zijn al jaren samen en ik dacht dat we het goed hadden samen. Het moet altijd zo goed blijven tussen ons. Ik wil dat niet kapotmaken. Jullie zijn zo belangrijk voor me. Jij bent belangrijk voor me. Als ik dat kapot zou maken door met Huib te trouwen, dan wil ik niet met hem trouwen.'
Luka schudde zijn hoofd. Het werd hem nu iets te moeilijk. Marte had het door. 'Oké, dan vraag ik het zo: vind je het goed als Huib bij ons in huis komt wonen?'
'Wordt hij dan mijn vader?'
'Nee, hij wordt de vriend van je moeder.'
'Maar ik wil graag een vader,' fluisterde hij opeens.
Marte kon er niets aan doen, ze moest hem tegen zich aandrukken. Haar grote, kleine jongen die vanbinnen worstelde met leven en dood. Ze hield hem stevig vast, streelde hem

over de haren en zuchtte onhoorbaar. 'Luka ...?' Ze duwde hem weer van zich af om hem aan te kijken. 'Ik heb een voorstel, maar het is een voorstel van Huib en mij samen en ik wil dat je eerlijk zegt wat je ervan vindt.'
Luka knikte bijna onzichtbaar. Hij was bang voor wat er komen ging.
'Een kwartier fietsen bij ons vandaan staat een heel mooi huis te koop, met veel slaapkamers en veel tuin eromheen. Als jij het goedvindt, gaan Huib en ik dat huis kopen en gaan we er met zijn allen in wonen. Dan krijg jij een eigen kamer en omdat jij de oudste van de kinderen bent, mag jij als eerste kiezen welke kamer je hebben wilt.'
'Gaan we dan verhuizen?'
'Ja, dat moet wel, grapjas.'
'Naar een groot huis?'
'Ik heb de foto in ons huisje liggen. Die zal ik je straks laten zien.'
'En ga jij dan trouwen?'
'Als we daar met zijn allen gaan wonen, dan ga ik met Huib trouwen.'
'En ... wordt hij dan wel of niet mijn vader?'
Marte lachte. 'Daar weet je het antwoord zelf wel op, maar je kunt hem gewoon Huib blijven noemen, hoor. Dat is prima, want zo heet hij immers.'
Luka schoot in de lach. 'Dat is waar. Nou, kom op. Laat die foto eens zien.' Hij sprong overeind en wilde wegrennen naar het huisje, maar Marte greep hem bij de arm. 'Zeg, als we gaan trouwen is dat een feest en bij een feest horen nieuwe kleren.'
Luka schoot in de lach. 'Krijg ik dan een nieuwe broek?'

'Ja, jij wel en een heel mooie ook!'
Luka juichte en lachte, terwijl de tranen over zijn wangen rolden. Hij wist zelf niet wat hij deed, maar plotseling schoot hem iets te binnen. 'Mamma,' zei hij volkomen verward en terneergeslagen, 'kan ik dan nog wel naar het Landsma College als we daar wonen?'
'Ja, hoor. Het is zelfs iets dichterbij van daaruit.'
Luka lachte, maar toch betrok zijn gezicht opnieuw. 'Hoe moet ik dan fietsen? Zeker een heel andere weg?'
Opeens begreep Marte zijn zorgen. Ze glimlachte en haalde haar hand door zijn haren. 'Ja, het eerste stuk is wel anders, maar je kunt altijd met Laura op een bepaald punt afspreken waar jullie elkaar ontmoeten en dan daarna samen verder rijden.'
Luka was volkomen gerustgesteld en rende de laatste meters naar het huis, waar bleek dat Huib en de kinderen er al waren. Huib keek Marte vragend aan. Marte knikte lachend.
'Oké,' zei Huib opgelucht tegen de meisjes. 'Dan hebben je moeder en ik nu iets leuks te vertellen.'
Marte haalde de foto van het huis tevoorschijn en Meike en Carijn waren na hun verhaal haast niet meer stil te krijgen.
'Een eigen kamer!' riep Meike alsmaar. 'Helemaal alleen voor mij.'
Luka lachte ook, maar hij voelde dat hij nog iets moest zeggen tegen Huib. Hun gesprek was goed geweest, maar er ontbrak nog iets. Aarzelend liep hij op Huib af, nog aarzelender stak hij zijn hand naar hem uit.
Huib keek verrast op, pakte de hand in de zijne en trok de jongen iets opzij, zodat niet iedereen kon meeluisteren naar wat hij te zeggen had.

‘Ik was zo blij toen jij langs de lijn stond,’ zei Luka. ‘Het was net of mijn vader teruggekomen was. Daarom was ik blij en verdrietig tegelijk. Daarom wilde ik wel en niet dat je bij ons was. Maar pappa komt nooit meer terug en jij wilt ... ik dacht ... als ik nou eens pa tegen je zeg. Hoe klinkt dat? Mamma zegt dat ook tegen haar vader en ik vind dat altijd wel stoer. Mag dat, Huib? Mag ik dat zeggen?’
Huibs ogen schoten vol. Hij was even niet in staat iets te zeggen. Hoe kwam de jongen op het idee? Zo had Emiel hem ook altijd genoemd. ‘Ja,’ zei hij schor. ‘Ja, dat mag, Luka.’
‘Maar pas als je met mamma getrouwd bent, hoor,’ vond Luka. ‘Ik wil eerst die mooie nieuwe broek.’